# LES ARTISTES FRANÇAIS

## DU XVIIIᵉ SIÈCLE

## OUBLIÉS OU DÉDAIGNÉS.

**BRUXELLES**

IMPRIMERIE DE A. MERTENS ET FILS,
Rue de l'Escalier, 22.

# LES

# ARTISTES FRANÇAIS

## DU XVIIIᵉ SIÈCLE

## OUBLIÉS OU DÉDAIGNÉS

PAR

Emile Bellier de la Chavignerie.

Extrait de la REVUE UNIVERSELLE DES ARTS.

PARIS

VEUVE JULES RENOUARD.

RUE DU TOURNON, 6.

1865

# AVANT-PROPOS.

Durant le xviii<sup>e</sup> siècle, les artistes qui appartenaient à l'Académie royale de peinture et de sculpture, soit comme simples agréés, soit comme académiciens, pouvaient seuls prendre part aux expositions qui avaient lieu au Louvre.

L'*Exposition de la Jeunesse* se tenait bien, il est vrai, chaque année depuis un temps immémorial, le jour de la petite Fête-Dieu, à la place Dauphine, quand l'état de l'atmosphère le permettait ; mais les exposants admis à accrocher leurs toiles et leurs dessins aux tapisseries tendues pour faire honneur à la procession, devaient les retirer dès que celle-ci se présentait ; d'ailleurs, il faut aller compulser les journaux ou les volumes de l'époque, devenus parfois rarissimes, pour rencontrer quelques lignes consacrées à ces exhibitions de courte durée faites sans ordre et sans contrôle ; nous sommes parvenu déjà à recueillir des indications pour celles qui eurent lieu en 1722, 1723, 1725, 1734, 1761, 1767, 1768, 1769, 1770, 1771, 1772, 1773, 1783, 1787, 1788 et 1789, la dernière, qui se tint rue de Cléry, 96, dans la salle de vente du peintre Lebrun.

L'*Académie de Saint-Luc* (l'ancienne maîtrise) eut aussi ses expositions en 1751, 1752, 1753, 1756, 1762, 1764 et 1774 ; la *Revue universelle des Arts* réimprime les livrets de ces diverses expositions, devenus rares ; on sait que l'Académie royale obtint à force de sollicitations, le 15 mars 1777, la suppression de ces expositions.

En 1776, de Peters et Marcenay de Guy organisèrent l'exposition dite du *Colisée*, qui fut anéantie l'année suivante par arrêt du Parlement du 30 août 1777. La liste et description des objets d'art exposés dans le *Salon des Grâces* forme un petit in-12 de 46 pages, dont la réimpression est désirable.

Ce fut alors qu'un sieur Pahin de La Blancherie, natif de Langres, esprit actif, généreux et intelligent, tenta d'opposer à son tour, à ses risques et périls, une concurrence à l'Académie royale. Rêvant de procurer aux artistes non académiciens les moyens de produire leurs œuvres, il vint s'établir bravement rue Saint-André des Arts, à l'hôtel Villayer, et donna à son exposition permanente et libre le titre de *Salon de la Correspondance;* de plus, il fonda un journal hebdomadaire qui était l'organe de son entreprise et qu'il appela *Nouvelles de la république des lettres et des arts* (8 volumes in-4°). De ces volumes-là, par exemple, nous ne connaissons qu'un seul exemplaire. Le salon et le journal ont vécu de 1779 à 1787. Ces volumes, nous les avons dépouillés avec un soin scrupuleux; puis nous avons raconté l'histoire de Pahin de La Blancherie, composée à l'aide des documents fournis par lui-même; nous avons fait voir quelle lutte il a dû soutenir pour faire accepter son idée du public; nous avons dressé ensuite le catalogue des artistes qui ont figuré au *Salon de la Correspondance* en rappelant quand ils ont pris part à celles de la *place Dauphine*, de *Saint-Luc* ou du *Colisée;* nous n'avons rien négligé pour consacrer à chacun de ces personnages, trop souvent oubliés ou dédaignés par les biographes, des notices dont les éléments ont été puisés aux meilleures sources.

Tel est le livre que nous offrons au lecteur, mais où l'on ne doit aller chercher, nous le répétons, que les artistes qui ont exposé au *Salon de la Correspondance;* nous avons dû, malgré tous nos soins, être souvent inexact ou incomplet; aussi nous accepterons toutes les communications qu'on voudra bien nous adresser; de cette façon, si notre tentative est bien accueillie, nous pourrons donner plus tard une nouvelle édition plus correcte.

E.-B. DE L.

Paris, 15 décembre 1863.

# LES ARTISTES FRANÇAIS

## DU XVIIIe SIÈCLE

### OUBLIÉS OU DÉDAIGNÉS.

———

### PAHIN DE LA BLANCHERIE.

#### I

Nous avons à parler d'un homme qui, à de sincères et honorables convictions, a joint de l'acquis, de l'intelligence, de l'activité, et aussi cet esprit de persistance et d'intrigue qu'exigent nos sociétés modernes pour atteindre un but quelconque.

Bien que Pahin de La Blancherie ait rempli les diverses conditions que nous venons de signaler, il n'a cependant pas eu la satisfaction de voir triompher la cause pour la défense de laquelle il a sacrifié sa fortune et son existence; il est mort à la peine, à moitié fou, sous la double et poignante étreinte de la désillusion et de la misère. N'est-ce pas, au surplus, le sort habituel des novateurs, le partage des natures qui, se laissant entraîner par une imagination trop ardente, vont au-devant des besoins de leur époque et défrichent le sol intellectuel de l'avenir?

La Blancherie, s'il revenait parmi nous, serait bien étonné d'y trouver actuellement en vigueur, et sans même que son nom soit prononcé, les usages pour l'introduction desquels il a vainement, mais courageusement, milité pendant plus de vingt années.

Nous ne venons pas demander pour lui une statue ni un buste, ou quelqu'une de ces ovations posthumes du même genre dont on abuse de nos jours; il nous suffira de parler d'un homme trop oublié, eu égard surtout au bien qu'il a tenté de faire. Il y a d'ailleurs un certain plaisir à étudier cette physionomie originale; nous le ferons sans emphase et sans engouement, disposé à louer ce que nous trouverons de bon chez lui, comme à blâmer avec la même impartialité ce que nous y constaterons de mauvais. Nous rechercherons principalement pourquoi il n'a pas réussi dans ses projets, afin que cet examen du passé devienne un enseignement pour l'avenir.

L'Académie royale de peinture et de sculpture venait, à la sollicitation de M. Pierre, son directeur, d'obtenir, le 15 mars 1777, une déclaration du Roi qui supprimait l'Académie de Saint-Luc et, par suite, ses expositions. Cette ancienne rivale n'était pourtant plus dangereuse; la lutte était depuis longtemps terminée; les rares et irrégulières exhibitions de tableaux et de sculptures qu'elle faisait, tantôt à l'hôtel d'Aligre, tantôt à l'hôtel Jabach, n'auraient pas dû alarmer l'illustre mais très-ombrageuse compagnie. Quant à l'*Exposition de la Jeunesse*, subordonnée à l'état de l'atmosphère, circonscrite, le jour de la petite Fête-Dieu, dans la place Dauphine, de six heures à midi, entre quelques toises de tapisseries, on ne la doit citer que pour mémoire; la concurrence de sa part n'était pas sérieuse; le catalogue des artistes qui y ont pris part offrirait cependant de l'intérêt. Nous y reviendrons un jour; on y rencontre les noms d'Oudry, de Chardin, de Desportes, de Greuze, de Delatour; l'insouciant Lantara même, qui ne fut jamais rien, qui n'a pas appartenu à l'Académie de Saint-Luc, n'hésita pas, plus d'une fois, sans doute à la sollicitation d'un créancier, à demander à l'exposition de la place Dauphine, non une occasion de publicité, dont il ne s'inquiétait guère, mais un moyen de gagner quelques écus en suspendant à la tapisserie un dessin aux trois crayons, ou un de ses frais paysages.

Devenue maîtresse de la place, l'Académie royale inscrivit insolemment sur son cachet cette devise : *Libertas artibus restituta*. Singulière liberté qui consistait à dépouiller le jeune artiste de talent et d'avenir, mais non encore agréé à l'Académie, de l'unique moyen qui lui restait pour faire connaître ses ouvrages au public! exorbitante et tyrannique prétention dont fit

bonne justice le décret du 24 août 1791, en reconnaissant « à
tous les artistes, français et étrangers, le droit d'exposer leurs
ouvrages, » — sous la sage garantie, toutefois, d'un jury.

Ici va commencer le rôle de La Blancherie, rôle qu'il sou-
tiendra énergiquement jusqu'à l'heure de sa mort.

Examinons quel était cet homme qui se posait ainsi en défenseur officieux d'une classe opprimée, qui cherchait à lutter contre
les envahissements du mauvais goût chez une nation abâtardie,
travaillée déjà par les premiers accès de la fièvre révolutionnaire.

Pahin (Mammès-Claude), auquel M. Quérard donne en outre,
nous ne savons trop pourquoi, dans sa *France littéraire*, le nom
de *Champlain*, naquit à Langres, le 29 décembre 1752, d'une
ancienne famille de robe ; son père était conseiller d'épée à
Langres. Ses premières études terminées, le jeune Pahin partit
pour l'Amérique, dans le but d'y visiter les possessions françaises.

Doué d'un tempérament nerveux et impressionnable, il
éprouva bien vite le besoin de revenir à Paris, exaspéré qu'il
était des châtiments qu'il avait vu infliger aux nègres ; il se mit
à recueillir ses impressions, et publia son premier ouvrage,
intitulé : *Extrait du Journal de mes voyages, ou histoire d'un
jeune homme, pour servir d'école aux pères et aux mères* (1).
« Cet ouvrage ne valait pas grand'chose, » — nous apprend
madame Roland dans ses *Mémoires ;* — « il y avait force
« morale et de saines idées ; le titre n'était pas trop modeste,
« comme on voit, et l'on était tenté de lui pardonner, car il
« s'appuyait d'autorités bien respectables en philosophie, les
« citait assez heureusement, et s'indignait, avec la chaleur d'une
« âme honnête, de la froideur ou de la négligence des parents,
« causes trop communes des désordres qui font la perte de la
« jeunesse. »

Tel est le début littéraire de notre héros, qui à son nom
patronymique avait substitué celui de la Blancherie, — sous

(1) Paris, Debure frères, et Orléans, veuve Rouzeau-Montant, 1776, 2 vol.
in-12.

lequel il continua d'être connu, — à cause d'un jardin que possédait sa famille dans un des faubourgs de Langres et dans lequel on blanchissait des toiles (1).

Dès 1777, la Blancherie prend le titre pompeux d'*agent général de la correspondance pour les sciences et les arts;* il lance à profusion des prospectus pour faire connaître le but qu'il se propose et les sommes qui lui sont nécessaires pour commencer ses opérations ; déployant une prodigieuse activité, il écrit à tous les savants de l'Europe, aux ministres, aux souverains ; on le voit partout sollicitant, discutant, pétitionnant, et cependant il trouve encore des loisirs pour faire une cour assidue à la fille du graveur Phlipon (2), devenue, quelques années plus tard (1780), madame Roland. Elle va nous apprendre comment cette connaissance s'était faite :

« Un jeune homme, fort assidu aux concerts de madame
« Lépine (3), avait imaginé de venir de sa part chez ma mère
« s'informer de nos santés, lorsqu'une absence un peu longue
« pouvait faire supposer qu'elles étaient peut-être altérées. Un
« ton honnête, une vivacité agréable, de l'esprit et surtout la
« rareté des visites, faisaient pardonner cette petite tournure
« assez adroitement prise pour avoir entrée dans la maison ;
« enfin la Blancherie hasarda sa déclaration. Petit, brun et
« assez laid, la Blancherie ne disait rien du tout à mon imagi-

(1) M. Pistollet de Saint-Fergeux, président de la société archéologique de Langres, dont nos travailleurs parisiens connaissent le savoir, la modestie et l'obligeance inépuisables, a bien voulu nous fournir sur Pahin de curieux détails qu'il retrouvera dans le cours de notre étude.

(2) L'an 1754, le 18e jour de mars, par nous soussigné, Jacques Noël Roger, prêtre de ce diocèse et du consentement du sieur vicaire de cette paroisse, a été baptisée Marie Jeanne, née *hier*, fille de Pierre Gatien Phlippon, marchand graveur, et de Marie Marguerite Bimont, son épouse, demeurant rue de la Lanterne, de cette paroisse, le parrain, Jean-Baptiste Besnard, bourgeois de Paris, oncle paternel, demeurant rue Plastrière, paroisse Saint-Eustache ; la marraine, Marie Geneviève Rotisset, grand'mère paternelle, veuve de Gatien Phlippon, marchand de vin, demeurante rue Saint-Louis au Marais, paroisse Saint-Gervais, lesquels ont signé avec nous le présent acte, aussi bien que le père.

Paroisse de Sainte-Croix de la Cité. — Archives de l'hôtel de ville de Paris.

(3) Elle était peut-être femme du compositeur Lépine, qui avait fait la musique d'un opéra intitulé : *Acis et Galatée*, représenté en 1787 au théâtre Beaujolais.

« nation ; mais son esprit ne me déplaisait pas, et je croyais
« m'apercevoir que ma personne lui plaisait beaucoup. Un soir,
« revenant avec ma mère de visiter nos grands parents, nous
« trouvâmes mon père un peu rêveur. « J'ai du nouveau, me
« dit-il en souriant ; la Blancherie sort d'ici, où il a passé plus
« de deux heures ; il m'a fait ses confidences, et comme elles
« vous regardent, mademoiselle, il faut bien vous en faire part.
« Il t'aime et s'est offert pour mon gendre ; mais il n'a rien, et
« ce serait une folie que je lui ai fait sentir. Il suit le barreau ;
« il aurait le projet d'acheter quelque charge dans la magistra-
« ture ; sa légitime ne serait pas suffisante pour cela. Qu'il
« commence un cabinet ou achète une charge ; qu'il se fasse un
« état enfin, nous verrons après ; il sera temps pour le ma-
« riage... » Plusieurs mois s'écoulèrent, la Blancherie partit
« pour Orléans, je ne le revis que deux ans après. De retour
« peu après la mort de ma mère, il apprit cet événement en
« venant pour la voir, et il manifesta une douleur qui me toucha
« et me plut. Il revint me faire des visites (1). »

Les choses en étaient là, quand mademoiselle Phlipon apprit
que la Blancherie n'était ni aussi sincère, ni aussi amoureux
qu'il l'avait fait paraître ; elle acquit la preuve qu'il avait
demandé simultanément, et la main d'une demoiselle Bordenave
et celle d'une de ses propres amies, se réservant d'épouser la
première des *trois jeunes filles* qui accueillerait ses hommages.
Indignée du procédé de cet *amoureux des onze mille vierges*,
comme elle le qualifie, mademoiselle Phlipon, à la première
occasion, signifia vertement son congé à l'infidèle, et le récit
qu'elle en a laissé est des plus piquants. C'est une de ces injures
qu'une femme ne pardonne pas. On voit que madame Roland n'a
jamais oublié l'aventure, car toutes les fois qu'elle a trouvé
l'occasion, dans ses mémoires, de lancer un trait mordant à
l'adresse de l'infortuné la Blancherie, elle n'y a pas manqué.

Quelle faute de la part de M. l'agent-général !... A quoi ne
serait-il pas parvenu, secondé par une femme telle que s'est

(1) Mémoires de madame Roland.

montrée madame Roland? En conserva-t-il un regret durable,
que son excessif amour-propre lui a seul empêché d'avouer? —
Nous l'ignorons. Toujours est-il qu'il mourut célibataire.

L'entreprise du jeune la Blancherie commençait à faire du
bruit ; l'Académie royale des sciences, sur le rapport de
MM. Franklin, Leroy, Condorcet et la Lalande, en avait pro-
clamé l'utilité dès le 20 mai 1778.

L'année suivante, la société était régulièrement constituée ;
elle se voyait dotée d'un conseil d'administration, *d'associés protecteurs et d'associés ordinaires;* quarante grands seigneurs (1),
ayant Monsieur à leur tête, assuraient, par une contribution de
quatre louis par an chacun, les frais et le loyer d'un appartement
digne de l'objet de l'exposition et de l'assemblée. Madame, monseigneur le comte d'Artois, monseigneur le duc d'Orléans, monseigneur le prince de Condé, les ministres donnaient le bon exemple en signant leur engagement d'associés. M. le duc de Charost
acceptait la présidence du conseil. Le siége de la *Correspondance*
était établi rue de Tournon, dans la maison neuve. Tout allait
donc pour le mieux; La Blancherie triomphait; il tenait le public au courant des progrès de l'entreprise; les prospectus cir-
culaient de nouveau ; dans l'un, nous avons relevé ce passage :
« Je m'étonnais qu'un Français, un Anglais et un Russe qui
« s'adonnent aux sciences et aux arts, ne fussent pas conci-
« toyens, et que la république des lettres et des arts ne fût
« qu'une chimère. » Il promettait de distribuer chaque année,
sous forme de loterie, les objets d'art acquis, aux associés des

(1) Au nombre de ces personnages se trouvait notamment le baron d'Espagnac,
lieutenant-général des armées du Roi ; né à Brives-la-Gaillarde, le 25 mars 1713, il
mourut à Paris, le 28 février 1783, gouverneur des Invalides, ayant écrit un assez
grand nombre d'ouvrages estimables sur l'art militaire. M. le comte d'Espagnac, seul
héritier du nom et son petit-fils, vient d'ouvrir sa riche galerie de tableaux au profit
de la loterie de *Notre-Dame des arts.* — Nous devons à M. le comte d'Espagnac un
détail intéressant que nous consignons volontiers. Son grand-père, amateur éclairé
des beaux-arts, se trouvant à Bruxelles, où il épousa la fille du baron de Beyer, y
fit la connaissance d'Heinsius (Johann-Ernest), qu'il décida à se fixer en France.
On sait fort peu de choses sur la vie de cet artiste allemand. Le Louvre possède
de lui un portrait, de grandeur naturelle, de madame Victoire, cinquième fille de
Louis XV.

deux classes. Il ajoutait ailleurs : « En établissant à Paris un
« bureau *gratuit* au profit de toute sorte de personnes de tous les
« pays, pour les renseignements relatifs aux sciences et aux
« arts, qui sera en même temps un lieu de rendez-vous pour
« ces mêmes personnes, j'acquerrai bientôt, par elles, en tout
« lieu, une réciprocité de bons offices, qui sera le fondement
« d'une féconde spéculation. Les bénéfices seront affectés aux
« frais d'une feuille périodique dépositaire des principaux dé-
« tails de la correspondance. »

Cette feuille (1), annoncée depuis si longtemps, fit sa première
apparition le 9 février 1779. Nous en extrairons *in extenso* le
règlement suivant, très-sagement conçu, et qui fera ressortir ce
qu'il y avait d'excellent dans les projets de Pahin de La Blancherie :

*On reçoit à l'exposition :* — « 1° Les ouvrages des peintres,
« sculpteurs, graveurs, qui ne sont pas encore de l'Académie ou
« que des circonstances peuvent empêcher d'y prétendre, ainsi
« que ceux des artistes des pays étrangers ;

---

(1) Le journal intitulé *Nouvelles de la république des lettres et des arts* est
devenu des plus rares ; des collectionneurs, des curieux, des bibliographes nous
ont avoué qu'ils ignoraient l'existence de ce périodique très-riche en détails relatifs
à l'histoire de l'art vers la fin du xviiie siècle. Nous avons consulté les bibliothèques de la capitale, celles du British Museum (puisque La Blancherie a passé
à Londres les vingt-trois dernières années de sa vie), les bibliothèques de
Langres, ville natale de Pahin et de Chaumont, où ont été transportés, à l'époque de
la révolution, les fonds des abbayes d'une partie de la Champagne ; nos recherches
ont été vaines ; ce n'est qu'à la bibliothèque de la rue Richelieu que nous avons ren-
contré un exemplaire (et encore incomplet) du journal que nous étions si désireux
de compulser. Nous soumettrons ultérieurement à nos lecteurs les extraits de ces
feuilles que nous avons toujours tâché de compléter avec nos documents personnels.
Rassurons de suite également les personnes que notre travail intéresse, en leur
disant que les lacunes qui existent dans le seul exemplaire que nous connais-
sions du journal de La Blancherie sont peu importantes, et que notre dépouil-
lement peut, à la rigueur, être considéré comme complet.
Les *Nouvelles de la république des lettres* forment huit volumes in-4°. Le premier numéro est du 9 février 1779 ; le dernier, du 26 décembre 1787. Interrompues
le 29 février 1780, elles furent reprises seulement le 11 juillet 1781, et ne parurent
pas durant l'année 1784. Elles étaient hebdomadaires, coûtaient 24 liv. pour Paris
et 30 liv. pour la province. — Combien vaudrait aujourd'hui un exemplaire en bon
état ?

« 2° Les meilleurs tableaux et autres ouvrages en ce genre,
« de maîtres anciens ou modernes, dont les possesseurs veulent
« bien dégarnir leur cabinet, pour quelques jours seulement;

« 3° Les ouvrages des artistes de l'Académie royale, qui,
« partant, dans l'intervalle des années du salon ordonné par le
« roi, pour leur destination en province ou dans les pays étran-
« gers, ne peuvent profiter de cette exposition.

« De la réunion de ces trois classes d'objets exposés, il
« résulte :

« 1° Un objet d'émulation entre les artistes nationaux et
« étrangers qui ne sont pas de l'Académie;

« 2° Un objet d'encouragement pour les élèves qui, ne sui-
« vant pas la carrière de l'histoire, n'ont aucuns droits aux
« bienfaits du roi, destinés seulement à ce genre;

« 3° Un objet d'instruction pour les jeunes artistes qui, voyant
« leurs ouvrages à côté de ceux des grands maîtres, en aperçoi-
« vent mieux les défauts, etc ;

« 4° L'avantage, pour le public amateur, de suivre, dans une
« galerie renouvelée toutes les semaines, non-seulement les
« productions intéressantes des jeunes artistes, mais encore des
« ouvrages précieux, épars dans cette vaste capitale et la plupart
« perdus, pour le plus grand nombre, dans les cabinets des
« particuliers ;

« 5° Un moyen, pour les artistes de l'Académie royale, de sui-
« vre et d'apprécier les talents des jeunes gens, de préparer
« également, par la critique et les éloges, les succès constants
« par lesquels ceux-ci doivent se rendre dignes d'être admis
« parmi eux ;

« 6° L'avantage, pour nombre d'artistes et d'amateurs natio-
« naux et étrangers en voyage à Paris, de voir les ouvrages qui
« ont fait la réputation de leurs auteurs, ou vivants ou morts;

« 7° L'avantage, pour le public, de jouir au moins une fois de
« la vue des ouvrages de MM. les académiciens que les provin-
« ces ou les pays étrangers doivent posséder;

« 8° L'avantage, pour ces mêmes artistes, d'ajouter, à l'occa-
« sion de ces mêmes ouvrages, de nouveaux lauriers à ceux

« qu'ils reçoivent aux salons ordonnés par le roi, et d'être ainsi
« les bienfaiteurs du public, dans un lieu honorable, consacré,
« sinon par la munificence royale, du moins par le patriotisme
« de tous les ordres de l'État ;

« 9° L'avantage, pour les heureux possesseurs de beaux
« ouvrages, de contribuer par un petit sacrifice aux progrès
« des arts, d'ajouter un prix à leur jouissance en procurant de
« la célébrité aux morceaux qui sont dans leurs cabinets ;

« 10° Enfin, l'avantage non moindre de rendre toutes ces
« productions présentes aux amateurs de tous les pays, par les
« feuilles de la *Correspondance* destinées à en porter la notice et
« de familiariser le public avec le nom de leurs auteurs.

« Le Comité espère que les artistes du premier ordre voudront
« bien seconder ses intentions, persuadé qu'animer l'émulation,
« éclairer les jeunes artistes, former les yeux des amateurs au
« vrai beau, doit être l'effet de la vue de leurs ouvrages et de
« leurs conseils. On s'empressera toujours de les consulter et de
« prendre leur avis. On veut être utile et surtout ne désobliger
« personne. »

Le journal et le règlement furent favorablement accueillis de
Paris et de la province ; nous avons entre les mains la liste des
personnes qui, de tous les points de la France, envoyèrent spon-
tanément leur adhésion à la nouvelle entreprise ; cet empresse-
ment peint l'état, les tendances et les besoins des esprits vers la
fin du xviiie siècle en matière de beaux-arts ; on retrouve bien
là, suivant nous, le premier germe de ces sociétés savantes
et artistiques qui, nées il y a cinquante ans à peine, nous enri-
chissent chaque jour de nouvelles sérieuses publications ; la réimpression de cette liste ne serait pas dénuée d'intérêt ; elle révélerait
dans quelle proportion chaque province a pris part, il y a un
demi-siècle, au grand mouvement intellectuel ; son étendue
malheureusement s'oppose à ce que nous la reproduisions inté-
gralement ; mentionnons au moins les noms des villes que nous
y avons rencontrées : Agen, Angers, Angoulême, Avranches,
Bar-sur-Seine, Belleval (près Caen), Bordeaux, Bourges, Cam-
bray, le Cap-Français, Castres, Châlons, Cîteaux, Clairvaux,

Dijon, Grenoble, Langres, Le Puy, Lyon, Marseille, la Martini-
que, Metz, Montpellier, Nancy, Nantes, Nuits, Orléans, Pamiers,
Perpignan, Reims, Rennes, Rocroy, Rouen, Saint-Brieuc, Senlis,
Sens, Troyes, Toulouse et Valenciennes ; ajoutons que les premiers souscripteurs, au nombre de 134, représentaient la
noblesse, le clergé, la robe et la finance ; l'épée s'y montrait en
petit nombre, bien que nous ayons à signaler le vicomte de Vergennes, capitaine des *gardes de la porte du roi ;* le *cabinet politique et littéraire* de Troyes, la *société patriotique bretonne* de
Corlay, le *cercle des philadelphes* du Cap-Français patronaient
aussi chaudement le *Salon de la correspondance.* Devoges, directeur de l'école gratuite de dessin de Dijon, qui devait plus tard
doter sa ville natale d'un musée, et Caristie, architecte et entrepreneur des travaux publics de la province de Bourgogne, ne
pouvaient manquer de se faire inscrire sur la liste ; aussi est-
on heureux d'y trouver leurs signatures.

Le gouvernement toléra le nouvel établissement, mais ne lui
accorda aucune subvention ; nous supposons que l'Académie
royale de peinture usa de toute son influence pour préparer ce
regrettable résultat, qu'elle ne fut pas non plus étrangère à la
lettre que M. d'Angivillier, directeur général des bâtiments du
roi, adressa dans cette circonstance à M. l'agent général :

« J'ai reçu, monsieur, la lettre que vous avez pris la peine de
« m'écrire et par laquelle vous me faites part des dépenses con-
« sidérables que vous occasionne l'établissement que vous avez
« formé ; je vois même, par les détails où vous entrez (1), qu'il

| | | | |
|---|---|---:|---|---|
| (1) | 1° Loyer de l'appartement. . . . . . | 5,200 | liv. | |
| | 2° Impression et papier des feuilles. . . | 6,000 | » | |
| | 3° Deux commis. . . . . . . . . | 2,000 | » | |
| | 4° Deux hommes destinés au service de la | | | |
| | maison. . . . . . . . . . . . | 1,600 | » | |
| | 5° Bois et bougies. . . . . . . . | 1,200 | » | 21,496 livres. |
| | 6° Port des feuilles chaque semaine à 48 | | | |
| | livres. . . . . . . . . . . | 2,496 | » | |
| | 7° Porteurs et commissionnaires. . . . | 600 | » | |
| | 8° Frais de bureau. . . . . . . | 1,200 | » | |
| | 9° Écritures et autres dépenses de l'agent | | | |
| | général. . . . . . . . . . . | 1,200 | » | |

« est difficile d'en rien retrancher ; je souhaiterais pouvoir les
« rendre moins onéreuses, mais cela n'est pas possible ; les
« objets auxquels les fonds de mon administration sont affectés
« ont leur destination si précise, que je ne puis en distraire
« aucune portion pour aucun autre. Je suis obligé de me bor-
« ner à souhaiter que l'accueil que le public fera à votre établis-
« sement vous mette en état d'en supporter les dépenses. »
M. le comte de Maurepas répondait dans le même sens, et
nous avons relevé ce passage caractéristique dans sa lettre à
La Blancherie du 28 mars 1780 : « Je prends une grande part
« à la détresse que vous éprouvez par une suite de la guerre ;
« mais ce que je trouve de plus fâcheux pour vous, est d'avoir à
« vous dire que les mêmes circonstances forcent le gouverne-
« ment à ne s'occuper que des choses les plus utiles et de la plus
« pressante nécessité. »

La Blancherie n'était pas homme à se décourager malgré tous
ces échecs ; il avait reçu comme une compensation, à l'assemblée du 3 février 1780, la visite du prévôt des marchands de la
ville de Paris, qui l'avait complimenté sur son utile entreprise en
lui donnant l'assurance que ses sympathies et sa protection lui
étaient acquises ; l'intervention de la guerre d'Amérique avait
déjà retiré un certain nombre d'abonnés aux *Nouvelles de la république des lettres et des arts ;* une dernière épreuve était réser-
vée à Pahin : son propriétaire de la rue de Tournon, avec lequel
il n'avait pas eu la précaution de se lier par un bail, cédant à la
sollicitation de ses principaux locataires, lui signifia son congé,
sous le prétexte que l'assemblée et l'exposition causaient trop de
bruit dans la maison neuve !

Ce fut pour ce motif que Pahin se trouva dans la nécessité de
suspendre et les *assemblées* et la *feuille,* ainsi que nous l'avons
dit plus haut, afin d'avoir le temps de se procurer des *ressources.*
La Blancherie, le 11 juillet 1781, prenait possession de son
nouveau domicile, rue Saint-André des Arts, à l'hôtel Villayer ;
constatons de suite que le *Salon de la correspondance* a atteint
son apogée (1781-1788) dans cette résidence.

C'est là que chaque semaine des compositeurs célèbres, ou ceux

qui aspiraient à le devenir, se faisaient entendre ; que des indus-
triels et des inventeurs exposaient leurs découvertes ; que des
littérateurs lisaient des fragments d'ouvrages nouveaux ou inédits ; les savants étrangers de passage à Paris y trouvaient un
cercle des plus utiles ; là eurent aussi lieu les expositions de
tableaux des trois Hallé, des quatre Restout, de *l'école française,*
ingénieuse pensée qui devait plus tard donner naissance à notre
musée du Luxembourg. Le moment n'est pas arrivé de juger
La Blancherie comme homme privé, de peser ses défauts et ses
qualités ; quant à présent, nous enregistrons ses actes au fur et à
mesure qu'ils se produisent, en réservant l'avenir. Il a eu le courage — et c'en était un bien grand dans ce moment — d'opposer
à ses risques et périls une concurrence sérieuse à l'Académie
royale de peinture ; son essai d'une exposition générale de l'école
française était une idée si naturelle, qu'elle a porté ses fruits ;
mais qui donc songe aujourd'hui à rappeler que c'est le pauvre
Pahin qui est mort à la peine pour la faire accepter d'abord ?...
Citons de suite *son catalogue* (1) : il est devenu très-rare, et il
contient, après tout, d'excellentes choses. Quand il parut, l'*Année
littéraire* (2) l'attaqua, sous le prétexte qu'il renfermait des erreurs ! Oh ! s'il fallait relever les erreurs *volontaires* ou *involon-
taires* de l'*Année littéraire,* cela conduirait loin ! La meilleure
preuve que la brochure est bonne, c'est qu'on y a puisé, et d'autant plus largement, que nous pensons être, sans présomption,
un des premiers qui l'ont franchement signalée au public. Mais
rendez-donc à César ce qui lui appartient ; que signifie le lâche
plagiat !! Sachez que tôt ou tard le vilain procédé est dévoilé ; si
votre conscience ne suffit pas pour vous préserver d'une mau-

(1) Essai d'un tableau historique des peintres de l'École française depuis Jean
Cousin, en 1500, jusqu'en 1783 inclusivement, avec le catalogue des ouvrages des
mêmes maîtres qui sont offerts à présent à l'émulation et aux hommages du public
dans le Salon de la correspondance, sous la direction et par les soins de M. de La
Blancherie, agent général de la *Correspondance pour les sciences et pour les arts,*
à Paris, au bureau de la *Correspondance,* hôtel Villayer, rue Saint-André-des-Arcs,
et chez Knapen fils, libraire-imprimeur de la cour des aides, au bas du pont Saint-
Michel, 1783, in-4° (prix 24 sols).

(2) Tome V, 1783.

vaise action, que cette considération au moins vous arrête, pla-
giaires !

Au *Salon de la correspondance*, enfin, eut lieu en 1783 l'exhibition de l'œuvre de Joseph Vernet, dont nous fournirons plus
loin le catalogue minutieux ; à peine si les journaux du temps—
excepté les *Petites Affiches* — daignèrent en faire mention ; il est
bon d'ajouter qu'ils ne faisaient en cela que sacrifier à un sentiment
de mesquine jalousie. L'artiste, au contraire, obéissant à une im-
pulsion plus noble, n'a pas cru devoir mentionner dans ses *livres
de raison* (1), — ce journal intime où le peintre de marine in-
scrivait jour par jour jusqu'aux moindres particularités de sa
vie privée, — d'abord les sollicitations dont il avait été l'objet
avant de consentir à envoyer ses toiles au *Salon de la correspondance*, ensuite l'ovation qui en fut la légitime récompense. — Il
n'y avait pas là de fausse modestie.

L'établissement de la *Correspondance* comptait de nombreux et
puissants ennemis intéressés à sa non réussite. L'agent général ne
pouvait triompher de pareils obstacles qu'à la condition d'être reconnu et soutenu par l'État ; il l'avait si bien compris, qu'il s'était
assuré, au début de son entreprise, l'intelligent et libéral appui
de l'*Académie des sciences*, dans l'espoir de s'en faire ultérieurement un titre auprès du pouvoir. Les antagonistes de La Blancherie ne s'y méprirent pas ; ne pouvant s'attaquer directement au
corps savant, ils eurent au moins l'habileté d'atténuer l'importance du certificat qui émanait de lui ; on le représenta comme
extorqué bien plutôt qu'obtenu par un infatigable intrigant.

La Blancherie crut le moment arrivé (1783) de tenter un
dernier effort pour déjouer les ruses de ses ennemis et obtenir les
lettres patentes si souvent sollicitées, et qui auraient assuré la
marche régulière d'une institution appelée à rendre d'incontestables
services. Se remettant de nouveau à l'œuvre, il adresse un mémoire à Louis XVI, écrit au baron de Breteuil, à M. de Maurepas, et va jusqu'à Fontainebleau solliciter une audience du
contrôleur général de Calonne. Les échecs qu'il éprouve ne le

(1) Publiés par M. Léon Lagrange. Joseph Vernet, sa vie, sa famille, son siècle
d'après des documents inédits (Bruxelles, 1858, in-8°).

découragent pas ; il charge son frère, l'abbé Pahin (1), du soin
de gagner à la cause de l'*établissement* l'évêque d'Autun et l'archevêque de Toulouse ; lui-même enfin, faisant taire tout sentiment d'amour-propre personnel, cherchant surtout à oublier le
refus catégorique que lui a opposé, trois ans auparavant, le
directeur général des bâtiments du roi, ne craint pas de s'adresser
à lui une fois encore, et avec plus de persistance que jamais.
Nous publions plus loin la réponse de M. d'Angivillier
(19 août 1785). Elle prouve une fois de plus combien les idées
les plus simples et les meilleures ont de peine à se faire jour.
Cette lettre, nous la trouvons honorable pour la mémoire de
Pahin de La Blancherie, une des nombreuses victimes du *sic vos
non vobis*. Qui pourra nier, après avoir lu cette pièce, que
La Blancherie ne soit pas bien réellement le créateur de ces exhibitions d'objets d'art, parfaitement acclimatées aujourd'hui ?

« Ce n'est pas sans un vrai chagrin, monsieur, que je vais
« vous tracer une réponse qui sans doute vous affligera d'autant
« plus vivement, que vous tenez plus fortement à votre idée ;
« mais quelle que soit l'estime personnelle dont je vous paye vo-
« lontiers le tribut, je ne puis absolument changer la résolution
« que j'ai prise, *dans tous les temps, au sujet de l'établissement*
« *que vous cherchez depuis dix ans à introduire dans Paris.*
« Avec quelque attention que j'aie pesé tout ce que vous m'en
« avez dit, tout ce que vous avez imprimé pour le présenter dans
« ce jour favorable qui vous entraîne si exclusivement, je n'ai pu
« y trouver, d'un côté, qu'une *inutilité trop attestée par l'expé-
« rience*, de l'autre, *des inconvénients*, et je dirai même *des
« dangers pour le maintien et le progrès des arts.* Vous me ré-
« pétez, monsieur, dans toutes vos lettres, que je les protége ;
« j'admets l'expression, parce qu'elle ne rend que le premier
« des devoirs de l'administration que le roi a daigné me confier,
« et c'est précisément parce que je m'attache à remplir ce devoir,
« que j'aurai toujours un vœu contraire à ce que votre établisse-

(1) Devenu plus tard curé de Langres, où il est mort il y a une trentaine d'années.

« ment acquière une consistance légale, dût-il me demeurer
« subordonné. »

La capitale a été pourvue par Louis XIV de toutes les sources
d'instruction qui y sont nécessaires pour faire fleurir les arts;
vivifier ces sources, en tirer le plus grand parti, voilà ce qui me
paraîtra toujours devoir attirer mon attention et ce qui *m'écar-
tera surtout de tous ces nouveaux établissements* dont Paris se
surcharge tous les jours, et dans lesquels la véritable et saine
instruction est suppléée par l'arbitraire, les petites prétentions,
et surtout un manque de lumières et de connaissances qui n'a
rien d'étonnant au milieu de sociétés dont les membres n'ont
point approfondi l'étude de ces arts, du progrès desquels elles
paraissent faire leur objet. Prenez garde, cependant, monsieur,
que c'est du sein de ces mêmes sociétés que « sortent une mul-
« titude d'opinions, trop souvent erronées, mais que le public,
« en général, aime mieux adopter qu'apprécier ; je vous propose
« l'observation parce que vous êtes très-capable de la saisir ; je
« pourrais pousser beaucoup plus loin ma discussion, mais je ne
« la dois qu'au roi, et je ne vous dissimule pas que je la lui ai
« soumise. Je n'ajouterai qu'un mot : vous accorder des lettres
« patentes, c'est se soumettre à faire la même faveur à tous ceux
« qui, comme vous, monsieur, concevront l'idée *d'un établisse-
« ment quelconque, et qui ne seront pas plus embarrassés d'en
« rendre l'utilité au moins spécieuse.* Dix années de soins et
« d'efforts de votre part vous ont laissé loin du succès ; vous
« voyez que je ménage l'expression. Quoi qu'il en soit, c'est un
« argument de plus et très-puissant contre vos vues. Vous rap-
« pelez, dans vos derniers Mémoires, les lettres que vous avez
« reçues de moi ; prenez la peine de les relire, et vous y trou-
« verez, au milieu des ménagements et des égards que j'ai cru
« vous devoir, le germe de ce que la circonstance me force
« maintenant à vous déclarer sans détour, en réservant néan-
« moins tout ce qui ne tient qu'à une discussion qui ne peut
« exister entre vous et moi.

« J'ai l'honneur d'être, etc.
« D'ANGIVILLIER. »

2

Nous nous abstenons de discuter les termes de cette lettre; nos lecteurs apprécieront.

Le déficit allait croissant; les créanciers commençaient à perdre patience et faisaient entendre de sourdes menaces. L'*agent général* se vit dans la nécessité de suspendre pour la seconde fois (1784) *les assemblées* et *la feuille*.

Il partit pour Londres, le cœur ulcéré, avec l'intention bien arrêtée de sonder le terrain et de transporter en Angleterre le siége de son entreprise, si ses idées y étaient plus chaleureusement accueillies qu'en France; il avait confié en son absence le soin du *Salon de la Correspondance* aux mains de deux collaborateurs aussi dévoués et aussi désintéressés que lui-même; c'est pour nous un devoir de nommer **MM.** Legendre et Deflers de Rancy, *secrétaires généraux* de la Société.

Pahin ne provoqua pas, à ce qu'il paraît, chez nos voisins d'outre-Manche, l'enthousiasme sur lequel il avait compté; nous le voyons en effet quitter Londres assez promptement et terminer son excursion par un voyage en Suisse et dans nos principales villes de province. Il fallait en effet, et à tout prix, recruter des souscripteurs et faire rentrer les cotisations arriérées; à force d'habileté et d'activité, La Blancherie parvint à donner une apparence de solidité à *l'établissement* et à rouvrir (1785) les salons de l'hôtel Villayer; mais, hélas! ce n'était plus qu'un replâtrage, qu'une existence toute factice. Qu'est-ce, en effet, qu'une société de ce genre dont le sort repose uniquement sur le zèle d'un homme? L'affluence n'était plus aussi grande qu'autrefois, la méfiance gagnait tous les esprits, et les artistes aussi bien que les collectionneurs ne confiaient plus qu'en tremblant leurs œuvres ou leurs richesses à un établissement où ils craignaient de les voir saisir d'un moment à l'autre. A dater du milieu de l'année 1786, les expositions deviennent de plus en plus irrégulières; La Blancherie, traqué par ses créanciers, après avoir épuisé tous les expédients, en est réduit à aller tenter un nouvel essai à Londres et dans la province. M. Legendre se multiplie et fait face de son mieux à l'orage; l'agent général ne tarde pas à revenir, les mains vides, un peu plus obéré même qu'avant

son départ, mais la tête exaltée par quelques promesses qu'on
lui avait faites en l'air, et sur lesquelles il s'empressa de construire de nouveaux projets. D'une nature nerveuse et indécoura-
geable, La Blancherie, son imagination aidant, était réellement
de bonne foi quand il confectionnait et publiait les seconds
statuts, composés de vingt-deux articles qui devaient, suivant
lui, imprimer à sa société une vigueur et une prospérité assurées.
Dans son bureau figuraient les plus grands personnages, fort
étonnés sans doute de l'honneur qui leur était fait. Malheureusement, l'opinion publique est capricieuse, et il est difficile de la
décider à relever l'idole qu'elle a une fois renversée. Nous en
puiserions une preuve nouvelle, si elle était nécessaire, dans le
numéro des *Nouvelles de la république des lettres et des arts* du
12 septembre 1787, où La Blancherie écrivait ce qui suit :

   « Correspondance. — Administration. — Les soins que l'on se
 « donne pour le recouvrement des sommes dues à l'établisse-
 « ment, amènent en France beaucoup de défections parmi les
 « associés, et des refus de payer... Ces défections et ces refus
 « se font avec les procédés les plus outrageants pour M. l'agent
 « général. Ou l'on se dispense de répondre à ses lettres, ou l'on
 « renvoie les feuilles par la poste, ou, dans une correspondance
 « trop volumineuse pour être publiée à présent, on se défend
 « d'être injuste par des personnalités et par les sophismes et
 « les prétentions les plus absurdes. Ce ne sont pas seulement
 « des particuliers qui se conduisent ainsi, mais des négociants,
 « des magistrats, des prélats, des corps... Il est inconcevable
 « qu'on se respecte si peu, et il faut convenir que l'intrigue qui
 « les dirige est bien criminelle, puisqu'elle tend à familiariser
 « le public avec l'idée qu'on peut manquer à des engagements
 « d'honneur. »

Voici quelques échantillons des procédés dont était chaque
jour victime le pauvre agent général, et des formes dont on
usait avec lui. On comprend aisément qu'il se soit oublié, dans
un moment de dépit, jusqu'à tracer et jusqu'à imprimer dans
son propre journal les lignes qui précèdent; à son point de vue,

c'était un appel fait à la conscience publique ; seulement on n'y répondit pas.

M. Ribe, directeur de la monnaie de Perpignan, refusait de payer sous le prétexte que d'autres associés n'acquittaient pas leurs cotisations ; M. Corail de Sainte-Foix, substitut du procureur général de Toulouse, basait, lui, son refus sur ce que l'établissement n'avait été utile ni à la province ni à lui-même ; le président B..., *associé protecteur* à C..., contrairement à un engagement souscrit pour trois années, prétendait avoir le droit de devenir simple *souscripteur*, et s'abstenait, provisoirement, de verser les cotisations échues. La Blancherie se voyait contraint de lui écrire en ces termes : « Obligé de quitter l'hôtel Villayer « et d'en payer les loyers, ce que je ne puis faire qu'avec ce « qui m'est dû, je viens d'éprouver une saisie-arrêt sur tous mes « meubles et même sur les objets exposés au salon. Cette saisie « serait suivie d'une vente et d'une discussion juridiques qui « ne seraient honorables ni pour la nation, ni pour les per- « sonnes qui doivent. Je vous prie donc, monsieur, de vouloir « bien me faire payer votre contribution, à titre d'*associé-pro-* « *tecteur*, selon l'engagement que vous en avez pris, et le plus « tôt possible, vu les circonstances auxquelles je donne publi- « cité dans la feuille prochaine... » Une maison de commerce invoquait un argument d'une tout autre nature. « Nous sommes « bien loin de vouloir vous susciter une tracasserie, et de « vouloir mettre dans notre déduction la précision mathéma- « tique qu'a mise, dans la sienne, un de vos abonnés ; mais « nous croyons être en droit de vous observer que nous croyons « que nous ne vous devons pas 48 livres ; car, pour 48 livres, « outre la feuille, il devait nous être délivré un billet de la « loterie annexée à votre établissement. Cette loterie n'ayant pas « eu lieu, sur les deux louis, vous devez nous faire bon du prix « estimatif du billet. »

Nous insistons sur ces détails ; ils renferment un enseignement. Le sort de Pahin est celui réservé assez généralement aux hommes qui, s'étant dévoués au service d'une cause, ont eu le malheur de ne pas la faire triompher.

Pahin ne pouvait plus se faire d'illusion ; la partie était perdue ; il fallait se rendre. M. Arthur, Anglais et auteur de la fabrique de papiers peints située à Paris, boulevard d'Antin, fit bien à La Blancherie des offres de service, et nous sommes heureux de constater cette honorable exception (en regrettant toutefois qu'elle n'appartienne pas à la France), mais il était trop tard et les offres étaient insuffisantes. La Blancherie s'exécuta courageusement ; il annonça que l'assemblée, la feuille et les expositions demeuraient suspendues jusqu'à des temps meilleurs, l'hôtel Villayer ayant été vendu et le nouveau propriétaire ayant destiné ses appartements à un autre usage ; cette fois, *les Salons de la Correspondance* ne devaient plus se rouvrir. Pahin, ayant pris des arrangements avec ses créanciers et transféré ses bureaux de réclamation quai des Théatins, n° 13, partit pour Londres (janvier 1788) : il ne devait plus revoir la France.

L'*agent général* une fois tombé, les folliculaires du temps l'insultèrent bravement à l'envi ; quelques citations suffiront pour donner une idée de notre pauvre espèce humaine, qui n'encense que le fait accompli. On lit dans *les Mémoires secrets* : « Qu'est-ce « que cet aegnt général des savants, des gens de lettres, des « artistes et des étrangers distingués? Un *jeune audacieux*, « qui n'est connu par aucun talent. Où tient-il ses assemblées? « Dans un galetas du collége de Bayeux, où il n'y a pas même « de chaises et où il faut rester debout depuis trois heures jus- « qu'à dix heures du soir que durent les séances. Enfin, qu'y « fait-on? On y cause comme dans un café, d'une façon plus « incommode seulement. Qu'y voit-on? Les choses qu'on trou- « verait chez les artistes, et qui y seraient encore mieux, parce « que ce serait chaque jour et à toute heure. Où sont ses corres- « pondances? Dans un gros livre où il écrit les adresses de « quelques savants ou de quelques artistes étrangers... On peut « assurer par expérience que *c'est jusqu'à présent* l'idée la *plus* « *sotte, la coterie la plus plate et la correspondance la plus vide!* » — Le public jugera. — Rivarol (1) n'a pas voulu oublier Pahin ;

(1) Petit almanach de nos grands hommes. 1788.

voici l'article qu'il lui a consacré : « Un des plus puissants génies
« de ce siècle, il avait conçu un projet admirable qui devait le
« conduire à la plus haute fortune, et pour l'exécution duquel il
« ne demandait qu'une ville impériale où tous les souverains de
« l'Europe devaient s'assembler et traiter avec lui. Il avait fort
« bien expliqué ses vues dans un journal de sa composition
« (précieux journal après tout, et plus recherché aujourd'hui que
« les œuvres de son détracteur); mais l'Europe, occupée de je
« ne sais quels intérêts du moment, négligea le grand projet de
« M. de La Blancherie; la ville impériale ne fut point accordée,
« les souverains ne s'assemblèrent pas, *et le grand homme resta*
« *seul avec ses plans et son génie, rue Saint-André-des-Arts,*
« *près l'égout : ô temps! ô mœurs!* » — Voilà bien du pathos,
bien de l'esprit de mauvais goût mal employé. Il n'est pas jusqu'au chansonnier Baudrais qui n'ait tenté de donner son coup
de pied :

> Dans la profane histoire,
> Je sais que l'avenir trouvera votre nom
> Parmi les noms chéris des suprêmes puissances
> Qui surent protéger les arts et les sciences,
> Vous êtes leur zélé patron,
> Et de tous leurs progrès ils vous sont redevables :
> En vains les rois, sans vous, leur seraient favorables.

Oh! pauvre humanité! nous le répétons avec une amère con-
viction. — La génération présente s'est chargée de perfectionner
et de mettre en pratique les idées entrevues par le pauvre
Pahin de la Blancherie; espérons aussi que des plumes plus
autorisées que la nôtre auront à cœur de venger sa mémoire, et
de le récompenser tardivement de ce qu'il a eu à souffrir de ses
contemporains, aveugles, jaloux ou injustes.

Arrivé en Angleterre, Pahin se mit en devoir d'y prôner son
*établissement de la correspondance.* Durant trois années, nous le
voyons lutter énergiquement, tenter des efforts surhumains pour
gagner, à Londres, la cause qu'il avait perdue à Paris ; malheureusement, il avait compté sans la Révolution, qui, éclatant subitement sur l'Europe, eut bientôt livré le monde à des préoccu-

pations d'une tout autre nature. C'était le coup de grâce ; épuisé,
La Blancherie ne put résister ; son séjour dans les prisons, où
l'avaient retenu à plusieurs reprises d'inexorables créanciers,
avait altéré ses facultés intellectuelles ; une *monomanie* en fut
la conséquence, et lui attira, chose étonnante, les railleries et
les persécutions d'un peuple passablement excentrique pourtant :
c'est ce qui acheva d'égarer son cerveau brûlant. Au déclin de sa
carrière anticipée, Pahin a atteint dans ses idées le paroxysme
du grotesque, et ses derniers actes, il faut le reconnaître, sont
positivement empreints de démence ; notre tâche devient donc
pénible maintenant, car on souffre au spectacle de l'agonie d'une
intelligence distinguée, d'un noble cœur... Nous achèverons
pourtant l'étude que nous avons commencée.

Convaincu par l'expérience qu'il fallait renoncer à l'opération
du *bureau de la correspondance,* mais ne pouvant accepter une
inaction complète, La Blancherie conçut en 1791 l'idée d'un
*Plan à la mémoire de Newton.* Ce plan devait consister *à faire une
célébration permanente, au nom de l'espèce humaine, du caractère
et du génie de cet homme céleste ;... à réunir, pendant qu'on le
peut encore, tous les souvenirs qui se rattachent à lui;* il proposait la création d'une société dont les membres recevraient le
nom de *Newtoniens :* Pahin avait découvert que la maison qu'il
habitait, circonstance ignorée ou oubliée des Anglais, était précisément celle qu'avait occupée Newton, et c'est sans doute à cette
particularité qu'il faut attribuer la pensée de sa nouvelle entreprise. Il demandait que cette maison fût rendue à la vénération
publique et que le titre de *Newton-Girardot* fût accordé à M. Girardot de Marigny, pour l'avoir aidé de tout son pouvoir dans la
réalisation de ses projets. Il réclamait que le nom de Newton fût
donné alternativement, avec celui de Georges, aux princes du
sang d'Angleterre ; que *les découvertes en physique, en astrono-
mie, en chimie et en mécanique, fussent mises en hymnes et adop-
tées pour le service divin dans tous les cultes, afin de familiariser
les peuples avec les grands objets de la nature, des sciences et des
arts en l'honneur de Newton et des autres personnages de l'espèce
humaine, à la plus grande gloire de Dieu;* enfin, il demandait que

dans les actes publics, après la formule : *L'an de grâce*, etc...
on ajoutât *et de Newton, le...*

Nous bornerons ici nos citations; nous les avons extraites
d'une brochure très-curieuse et rarissime, publiée à Londres
par La Blancherie (in-4° de 118 pages) ; en voici le titre : Procla-
mation de par toutes les nations, l'agent général de correspondance pour les lettres, les sciences et les arts, à la nation
anglaise. Elle est ainsi signée : Moi, l'agent général de correspondance pour les sciences et les arts, et ainsi datée : Donné à
Londres, le 3 novembre, l'an de grâce 1796, et de Newton 154 ;
de mon appartement, dédié à sir Isaac Newton, n° 49, Rath-
bone place.

Nous ignorions l'existence de cette pièce importante; nous ne
l'avions trouvée mentionnée nulle part. M. Pistollet de Saint-
Fergeux, qui en possède un exemplaire, a bien voulu nous en
communiquer les extraits les plus saillants; qu'il veuille bien
recevoir à ce sujet l'expression de notre gratitude: nous lui devions déjà de précieux détails concernant le personnage qui
nous occupe.

On perd de vue Pahin de La Blancherie dans les dernières
années de sa vie; d'une pauvre santé et vivant d'une pension
qu'il avait obtenue du gouvernement anglais, il mourut à Londres le 25 juin 1811, célibataire, âgé de cinquante-neuf ans ; il
mourut sans avoir pu faire imprimer le grand ouvrage où il
devait publier ses recherches sur Newton et sa patrie, ainsi que
les appréciations qu'une étude trop approfondie et trop exclusive
de ce vaste génie lui avait inspirées.

Le portrait de Pahin a paru plusieurs fois aux expositions du
*Salon de la correspondance*. En 1779, Lenoir et Rouvier offraient
aux regards du public, le premier un pastel, le second une miniature d'après Pahin; Ducreux lui consacrait également un
pastel en 1782. Que sont devenus ces portraits? Nous l'ignorons. Le Musée de la ville de Langres en possède un; il est de
bonne facture et ressemblant, à ce qu'il paraît; il a été exécuté
par le peintre anglais Kymls. C'est M. Guyot de Giey qui en a
doté la ville natale de La Blancherie en 1844. (H. 0 20. L. 0 17.)

Voilà ce qu'a été Pahin de La Blancherie ; voilà ce qu'il a tenté de faire... et nous avons vu quel avait été le fruit de ses efforts... la misère, l'injure, la calomnie, l'incarcération, les persécutions de toute nature ; mort à la lutte et avant l'âge, un demi-siècle après lui son nom est oublié.

Tirons de ces lignes la seule conclusion qu'on en puisse raisonnablement tirer, et nous croirons avoir rempli notre tâche ; Pahin de La Blancherie, comme beaucoup d'hommes convaincus et tenaces, n'a peut-être pas fait assez de concessions aux idées de son temps ; il a peut-être été trop entier, trop impatient, oubliant l'adage : « Plus fait douceur que violence. » Son caractère hautain et présomptueux lui a suscité des ennemis assurément ; il s'est exagéré son importance ; ainsi M^me Rolland nous a rapporté dans ses mémoires un trait qui peint bien ce singulier personnage. C'était en 1785 : Pahin se trouvait à Lyon ; il alla rendre visite au président de l'Académie de cette ville, M. de Villers, en le priant de le faire assister à une séance. M. de Villers crut très-bien faire en demandant à La Blancherie, avec beaucoup d'égards, s'il désirait être associé à la Compagnie : Non, répondit-il impertinemment, je ne dois être d'aucune. Et comme M. de Villers demandait pourquoi, l'agent général répliqua : Parce qu'il me faudrait être de toutes les académies de l'Europe. Quelques années plus tard, il disait au beau-père de M. de Saint-Fergeux, qui l'avait invité à sa table : « Vous pourrez dire que vous avez dîné avec Pahin-Newton. »

Ce sont là des travers ; nous aurions préféré trouver Pahin modeste, comme l'est habituellement l'homme d'une véritable valeur. Nous devions, dans notre impartialité, dire le bien comme le mal ; mais à notre point de vue, ce n'est pas dans les défauts, dans l'insuffisance des lumières de l'agent général qu'il faut aller chercher la cause de la non-réussite de son entreprise : il faut s'en prendre uniquement aux idées de l'époque, au despotisme de l'Académie royale de peinture et de sculpture, et déclarer que Pahin de La Blancherie a fait tout ce qu'il était accordé à un particulier de faire au moment où il a vécu ; il a jeté les premiers grains qui devaient lever plus tard et donner

naissance à ces expositions permanentes dont le développement
et le perfectionnement acquièrent chaque jour plus de vitalité et
qui seront demain tout à fait acclimatées; un souvenir donc, de
l'indulgence pour la mémoire de celui qui a donné le premier
coup de pioche sur un terrain qui était alors inculte, et qui a
deviné que là-dessous existait une mine bonne à exploiter.

## NOTICE ET DESCRIPTION

*des tableaux, sculptures, dessins, morceaux d'architecture, exposés
au Salon de la Correspondance, pendant les années* 1779, 1780,
1781, 1782, 1783, 1785, 1786 *et* 1787, *avec des notices biographiques
sur les exposants.*

1. ALLAIS (demoiselle), peintre, rue des Fossés Saint-Germain, à côté de l'horloger du roi; elle appartenait sans
   doute à la famille des graveurs; elle était peut-être
   fille de Jean-Louis Allais, maître sculpteur de l'Académie de Saint-Luc; s'il en est ainsi, elle mourut âgée de
   21 ans, le 22 août 1786, et s'appelait *Catherine-Élisa-
   beth*. Toutefois nous ne pouvons rien affirmer à cet
   égard. — Nous voyons aussi une demoiselle Allais
   exposer à la place Dauphine en 1770.

   1779.

   *Portrait au pastel d'un homme qui s'occupe des sciences et des arts, au
   moment où il réfléchit sur quelque chose qu'il vient de lire.*

2. ATTIRET (*Claude-François*), sculpteur, naquit à Dôle le
   14 décembre 1728, et mourut à l'hôpital de la même
   ville le 15 juillet 1804. Il était élève de Pigal et obtint
   successivement les prix de l'Académie royale de Paris et
   de celle de Saint-Luc de Rome; il était professeur de
   l'Académie de Saint-Luc de Paris et prit part à ses expositions en 1762, 1764 et 1774. On voit des œuvres
   d'Attiret au Musée de Dijon. Il a exécuté la fontaine

publique de Dôle; et pour le château de Bussy Rabutin,
un *Jupiter lançant la foudre* et une *statue de Cybèle*; la
bibliothèque de Dôle possède son portrait. — Il était
cousin et compatriote du jésuite Jean-Denis Attiret,
peintre de l'empereur Kien-Long.

SALON DE LA CORRESPONDANCE. 1782.

*Buste en marbre d'un philosophe.* — *Annibal en imprécation contre sa
destinée*, tête d'étude en marbre. « En voyant cet ouvrage, qui est dans le
« plus grand style — ajoute La Blancherie — on ne peut qu'inviter l'ar-
« tiste à venir à Paris faire connaître des talents aussi distingués que les
« siens. Il vient d'exécuter à Dôle, en marbre et de double nature, la sta-
« tue du roi, quoiqu'on ne lui eût demandé qu'un buste. » (Cette statue
a été brisée au moment de la Révolution.)

3. Aubé, peintre, directeur de l'Académie de peinture, à
Liége.

1783.

Petit tableau : *une mère présente son sein à un enfant qui s'élance des
bras de son père.* — Serait-ce ce même artiste que nous retrouvons
comme exposant au Louvre en 1791 et 1795?

4. Aubry (*Étienne*), peintre, né à Versailles le 10 janvier
1745, décédé dans la même ville le 24 juillet 1781.
Élève de Silvestre, agréé à l'Académie en 1771, reçu
académicien le 30 septembre 1775, sur les *portraits de
Hallé et Vassé* (à l'École des beaux-arts). Il a été gravé
par N. Delaunay, R. Delaunay, Saint-Aubin, J.-C. Levasseur, A. Legrand et de Longueil. Il a pris part aux
expositions de 1771, 1773, 1775, 1777, 1779, 1781
(posthume).

SALON DE LA CORRESPONDANCE. 1782.

*Dessin représentant une scène domestique* (du cabinet de M. Marie, expé-
ditionnaire en cour de Rome). « Cette scène — dit La Blancherie — est le
fruit des malheurs qui ont abrégé la vie de cet artiste estimable et qui
s'annonçait si avantageusement dans les tableaux de genre. » — *Une mère
qui gronde ses enfants* (du cabinet de M. Morel).

5. Bardou, sculpteur.

1782.

*Différents animaux en bas-relief et en cire.* (Commencement de l'histoire
des animaux que l'artiste se propose d'exécuter en ce genre.)

6. BATIGANT, sculpteur de la marine, rue du Puits, maison de
   M. Basville, médecin.

### 1779.

Dessin représentant : *l'intérieur d'une prison où s'exerce un trait de
bienfaisance*. (H. 18 po. L. 24 po.) — La fille d'un fermier général, âgée
de dix ans, invoque son père et ses parents pour délivrer de la prison un
malheureux qui était retenu depuis quinze mois pour avoir vendu du sel
en contrebande.

7. BATTIER, sculpteur, rue Saint-Sauveur, au café du Berri.

### 1782.

Deux tableaux représentant *des fleurs sculptées en plâtre*.

8. BATTONI (*Pompée-Jérôme*), peintre d'histoire, né à Lucques
   en 1702, mort à Rome en 1782; il commença par travailler pour un bijoutier; une miniature lui avait été
   confiée afin qu'il l'enchâssât dans une boîte; cette circonstance décida de sa carrière artistique; il copia la
   miniature et devint, sa vocation aidant et sans maître,
   un excellent peintre d'histoire.

### 1783.

Grand tableau représentant : *la Mort de Marc-Antoine secouru par Cléopâtre* (huile; à M. J.-G. Wille, graveur du roi). Cet artiste l'a gravé en
1778, et nous en avons vu deux états au cabinet des estampes de la bibliothèque impériale, l'un et l'autre après la lettre. Nous trouvons dans
*le Trésor de la Curiosité* (tome II, p. 357) cette mention empruntée au
catalogue de la vente de M. Augustin Miron, membre du conseil des
manufactures résidant à Orléans (1823). Pompéo Battoni. *Mort de Marc-
Antoine*. Il avait été commandé à Battoni par le père de M. Jaubert et
provient de sa collection. (36 po. sur 27.) — Le même artiste a peint un
remarquable portrait du cardinal de Rochechouart.

9. BAVER, peintre, rue de Cléry, vis-à-vis la rue Beauregard.

### 1782.

*Deux paysages* (dans le genre de Teniers).

10. BEAUFORT (*Jacques-Antoine*), peintre d'histoire, reçu à
    l'Académie royale de peinture le 26 janvier 1771, sur le
    tableau de *Brutus faisant le serment de venger la mort*

*de Lucrèce*. Il mourut à Paris le 25 juin 1784, âgé de 63 ans. Le graveur Miger, dans sa lettre à Vien, directeur de l'Académie (et que nous avons réimprimée en tête du catalogue de l'œuvre du graveur), nous apprend comment Beaufort fut élu, sans droit, au lieu et place de Loir, grâce aux intrigues de Pierre, premier peintre du roi. Beaufort a pris part, comme agréé, aux Salons du Louvre de 1765 et 1769, comme académicien, à ceux de 1771, 1773, 1775, 1777, 1779, 1781 et 1783.

Son portrait, peint par madame Guyard, qui avait exposé au Louvre en 1783, reparut la même année au Salon de la Correspondance.

**11.** BEAUMANOIR (le baron de), peintre amateur.

### 1785.

*Tableau de famille :* une demoiselle peint ; derrière elle, son père, qui craint qu'elle ne s'aperçoive qu'il regarde son ouvrage ; à côté, sa mère, qui travaille ; autour du chevalet, un frère qui dessine et un enfant qui joue. — *Un officier du régiment Dauphin arrivant de la chasse ;* il est représenté assis, la main appuyée sur une table autour de laquelle sont des accessoires.

BEAUPRÉ, voyez : CADET DE BEAUPRÉ.

BELLANGER, peintre décorateur, voyez ci-après : THIÉBAUT.

**12.** BENZI, (madame), peintre de Turin, hôtel de Provence, rue Saint-Séverin.

### 1782.

*Imitation de l'hermaphrodite ;— portraits d'homme et de femme* (miniature).

**13.** BERNET, peintre, élève de Casanova.

### 1779.

*Deux paysages à la gouache* (H. 4 p. L. 6 p.)

**14.** BOQUET (*Pierre-Jean*), peintre de paysages, est né à Paris en 1751 et est mort dans la même ville le 7 juillet 1817, âgé de 66 ans, veuf en premières noces de Marie-Louise-Constance Naudé, époux en secondes de Louise-Françoise Jacquinot ; il était élève de Leprince et il a pris part aux Salons de 1791, 1793, 1795, 1796, 1798, 1800, 1801,

1802, 1804, 1806, 1808, 1810 et 1812 ; il fit don à la
Convention nationale (séance du 23 frimaire an III) d'un
tableau dont il était l'auteur, représentant *l'Incendie du
Cap.*

SALON DE LA CORRESPONDANCE. 1782.

*Deux vues de Meudon. — Deux vues de Montmorency* (gouaches).

1787.

*Deux portraits d'après nature, une étude de mains, trois sujets* (d'après
Subleyras, Rembrandt et Largillière : miniatures).

15. BOILEAU (*François-Jacques*), ancien directeur-adjoint de
l'Académie de Saint-Luc ; peintre du duc d'Orléans et
chargé de l'entretien de ses tableaux au Palais-Royal ;
il mourut à Paris le 27 octobre 1785, âgé de 65 1/2 ans,
et fut inhumé le lendemain en la paroisse de Saint-
Jean-en-Grève, dans la chappelle de la Communion. Il
avait épousé Geneviève Lamston, qui lui survécut ; il
eut de cette union deux enfants. Louis-François-Jacques
Boileau, avocat, huissier commissaire-priseur, rue du
Bac, et une fille qui épousa Claude Balbastre, organiste
de MONSIEUR et de l'église de Paris. F.-J. Boileau figura
en 1762 à l'exposition de l'Académie de Saint-Luc ; en
1783, au Salon de la Correspondance, de Pahin de
La Blancherie, avec un *portrait du Czar Pierre,* dans le
genre de Petitot. Il rédigea en 1772 le catalogue de la
vente du duc de Choiseul (Paris, imp. de Prault,
in-8 de 46 p. et 147 n<sup>os</sup>). Cette vente s'éleva à
444,398 livres 8 sous.

16. BOIZOT (*Louis-Simon*), fils, né à Paris en 1743, y est décédé
le 10 mars 1809 ; il était élève de Michel-Ange Slotz.
Il obtint le premier grand prix de sculpture en 1762
sur *la Mort de Germanicus ;* fut agréé à l'Académie
en 1773, reçu académicien le 28 novembre 1778, sur
une *figure en marbre de Méléagre,* et nommé adjoint à
professeur le 26 novembre 1785 ; il a figuré aux salons
de 1773, 1775, 1777, 1779, 1781, 1783, 1785, 1787,
1789, 1791, 1793, 1795, 1796, 1798, 1799, 1800,

1801, 1806 et 1810 (prix décennaux, exposition posthume). On voit de ses œuvres au Louvre, à l'Institut, à
la colonne Vendôme, à la place du Châtelet; son buste
a été fait par Bouvet (1810) et Cadelary, même année.

SALON DE LA CORRESPONDANCE. 1779.

*Buste de Marie-Antoinette.*

1781.

*Bas-relief en terre cuite, représentant l'Hymen offrant un enfant à la
France* (H. 9 p. 1/2, L. 9 p. 1/2 : allusion à la première grossesse de la
reine),— *l'Enlèvement de Proserpine par Pluton,* — *Proserpine offrant un
sacrifice à Cérès.* (Groupes en terre cuite de 15 p. de H.)

17. BOREL (*Antoine*), dessinateur et graveur, rue Boucherat,
au Marais, et plus tard, rue du Pont-aux-Choux, maison
de M. Martin. Il avait pris part à la guerre d'Amérique,
et a laissé le dessin de l'Amérique indépendante qu'a
gravé en 1778 J.-C. Levasseur; né à Paris vers 1743,
Borel vivait encore en 1810; il a aussi gravé à l'eau-forte,
en manière noire, 7 pièces, entre autres *le Frappement
du rocher,* d'après Poussin.

SALON DE LA CORRESPONDANCE. 1779.

*Deux portraits d'homme et de femme* (H. 5 p. L. 5 p.) — *Jupiter et Io*
(miniature),— *étude de vieillard à la gouache* (H. 5 p. 1/2 L. 4 p.); —
*deux dessins coloriés représentant des bacchantes* (H. 8 p. 1/2 L. 11 p.) —
*deux dessins sur papier bleu, rehaussés de pastel; le Lait répandu, la Précau-
tion inutile* (H. 10 p. L. 12 p.); — *dix dessins pour servir à la nouvelle
édition de l'Amadis des Gaules de M. le comte de Tressan* (H. 8 p. L. 6 p.).

1780.

Deux dessins représentant l'un : *les Grâces qui portent un médaillon
pendant que les Amours folâtrent autour d'elles,*—l'autre : *une Jeune bergère tenant une corbeille dans laquelle sont renfermés des Amours : un berger
vient furtivement lever le voile et les fait enfuir* (H. 17 p. L 15 p.); —
dessin à l'encre de Chine et colorié représentant *une Mascarade dans la
rue Saint-Antoine.* (H. 15 p. L. 12 p.).

Borel a été gravé par : Henri Guttemberg, J. Couché, de Longueil,
Demonchy, G. Marchand, A.-F. Hémery, E. Voysard, Delignon, Dambrun, L.-M. Halbou, Depeuille, Jabier, R. Delaunay jeune.

18. BORELLI.

1779.

*Des marines et des paysages* en relief, composés avec un mastic se durcissant à l'air comme la pierre et à l'épreuve des injures du temps.

19. BORNET (C.), peintre en miniature et graveur, était membre de l'Académie de Saint-Luc et a pris part à l'exposition de 1774; il a figuré au Louvre en 1798; il a édité les gravures représentant les salons de 1785 et 1787 exécutées par Martini; C.-E. Gaucher a gravé d'après lui, en 1792, le portrait de J.-P.-A. Cambefort, commandant par intérim la province du nord de Saint-Domingue à l'époque de la révolte des esclaves. Nous connaissons aussi trois Vues gravées par Bornet en 1786, pour le *Richard Cœur-de-Lion* de Grétry.

1781.

*Différents portraits.*

1782.

*Portrait de jeune demoiselle* (pastel).

20. BOUCHER (Madame, née BUSEAU, *Marie-Jeanne*), épousa, le 21 avril 1733 (paroisse Saint-Roch, François Boucher); elle avait alors 17 ans, et était fille de Jean-Baptiste, bourgeois de Paris, et de Marie-Anne de Sedeville : c'est ce que nous apprennent MM. de Goncourt dans leur excellente monographie de Boucher; elle a fait un assez grand nombre de miniatures et elle a gravé à l'eau-forte; on connaît d'elle une planche représentant *Deux paysans dormant*, avec ces mentions *Boucher inv. uxor ejus sculpsit*.

SALON DE LA CORRESPONDANCE. 1779.

*Plusieurs portraits et autres objets en miniature.*

21. BOUILLETTE DE CHAMBLY (*Raoul*), juré expert, architecte, sculpteur, entrepreneur des ponts et chaussées; décédé le 13 avril 1782, âgé de 48 ans (paroisse Saint-Merry).

1785 (*posthume*).

*Buste en plâtre de M. Perronnet*, premier ingénieur des ponts et chaussées, d'après le marbre de M. Masson, actuellement chargé de la sculpture du gouvernement de Metz.

22. BOUNIEU (*Michel-Honoré*), peintre et graveur, né à Marseille en 1740 et mort à Paris en 1814, était élève de Pierre; il fut agréé à l'Académie royale en 1767, mais ne devint pas académicien; il a été, pendant plus de vingt ans, professeur de dessin à l'école royale des ponts et chaussées, et occupa durant plusieurs années un atelier à la Bibliothèque du roi; nous apprenons, par une note placée en tête d'un catalogue de vente de tableaux (Paris, A.-J. Paillet, 1785, in-8), que Bounieu, contraint de quitter son atelier de la Bibliothèque, par suite des changements qu'on devait faire à cet établissement, se vit dans la nécessité de vendre les tableaux que l'exiguïté de son nouveau logement ne lui permettait plus de conserver; Bounieu a fait l'intérim du cabinet des estampes de la Bibliothèque royale du 13 septembre 1792 au 4 messidor an III (21 juin 1795); il a pris part aux salons de 1769, 1771, 1775, 1777 et 1779. Seulement, en 1779, Messieurs de l'Académie trouvèrent que sa *Bethsabée sortant du bain*, qu'il avait envoyée pour le salon, était trop nue, et ils la lui refusèrent; M. Chaplin et madame ont pu dans ce précédent puiser en 1859 une consolation. La Blancherie nous apprend qu'au surplus l'Académie rendit dans cette circonstance, bien sans le vouloir, un véritable service à l'artiste: son tableau obtint un grand succès; le public se porta en foule dans l'atelier du peintre pour l'examiner, et S. A. S. Mgr le duc de Chartres acquit cette toile, qui était de 5 pouces sur 4; G.-P. Benoît l'a gravée. On voit des œuvres de Bounieu aux musées de Saint-Quentin, Valenciennes; nous constaterons que le Musée de Marseille, sa ville natale, n'en possède pas; Bounieu a reproduit lui-même son œuvre en manière noire presque entièrement; il a été interprété en outre par Devisme, P. Laurent, Dequevauvillier, L. Marin, A.-S. Romanet; sa fille et son

élève Émilie, épouse Raveau, a exposé, de 1793 à 1819, des tableaux de genre qui obtinrent un certain succès.

### SALON DE LA CORRESPONDANCE. 1779.

*Bergers d'Arcadie.* — *Rachel console Jacob du refus de Laban.*

#### 1782.

*La naissance d'Henri IV.* (Exposé au Louvre en 1779, gravé par Bounieu.)

#### 1785.

*Portrait de M. Carra physicien.*

23. BOURDOIS, sculpteur.

#### 1781.

*Buste de femme,* dans l'expression de la douleur; *buste d'homme* (deux terres cuites grandeur naturelle).

24. BOURRIT (*Marc-Théodore*), voyageur naturaliste et dessinateur; à l'hôtel de Bar-le-Duc, rue de la Calandre. Né à Genève en 1735, Bourrit est mort dans la même ville le 7 octobre 1815. C'est un des écrivains qui ont le plus contribué à fixer l'attention des curieux et des voyageurs sur les glaciers des Alpes: il avait débuté dans la peinture sur émail et s'y était acquis une véritable réputation; mais, comme tous les hommes heureusement doués par la nature, il ne se contenta pas de ce début et voulut s'essayer dans d'autres genres; il obtint, sans concours, la place de chantre devenue vacante à Genève, uniquement pour se procurer les ressources pécuniaires qui, en lui assurant sa vie matérielle, lui permettaient aussi de s'abandonner avec une entière indépendance à la satisfaction de tous ses caprices; toutefois, il se sentit bientôt saisi par sa vocation, à laquelle il sacrifia le restant de ses jours. Il voua aux Alpes un véritable culte et lui resta fidèle jusqu'à sa mort; les visiter, les décrire, les peindre dans des tableaux pour lesquels il se servait d'un lavis spécial très-propre à rendre les effets de lumière sur les glaces et sur les rochers, telle fut la vie de Bourrit. Il a laissé un grand nombre de précieux ouvrages tous relatifs au même sujet; la bibliothèque de Genève

(partie des sciences et des arts, tome XII, 1819) lui a
consacré une intéressante notice, à laquelle nous renvoyons le lecteur.

SALON DE LA CORRESPONDANCE. 1780.

Dessin représentant : *Un grand réservoir d'eau découvert par l'artiste
au milieu des Alpes* (H. 22 p. L. 50 p.); — deux tableaux représentant
l'un : *La vallée de glace de Chamouny*, l'autre : *L'amas des glaces de
l'Arveron dans Chamouny*. (H. 28 p. L. 2 p. 1/2.)

25. Boutelou (M^me), demeurant rue Sainte-Hyacinthe, vis-à-vis
le jeu de paume, près la porte Saint-Jacques.

1785.

*Un tableau restauré d'après le procédé dont elle est l'inventeur.* « Elle a
« fourni, — ajoute La Blancherie, — des certificats qui ne laissent aucun
« doute sur ce qu'elle annonce; elle n'applique que par derrière la toile
« la composition dont elle fait usage, et qui rend cette toile plus moel-
« leuse sans altérer la peinture. »

26. Boze (*Joseph*), dit le *peintre monarchique*, est né aux Mar-
tigues, chef-lieu de canton du département des Bouches-
du-Rhône; il est mort à Paris rue du Regard, âgé de
82 ans, le 17 janvier 1826, époux de Françoise-Made-
leine Clétier; il était peintre breveté de la guerre.
Louis XVI, lui ayant confié le soin de faire son portrait,
fut satisfait de la manière dont il s'en acquitta : il lui en
fit des compliments qui rendirent Boze ardent défenseur
de la monarchie; au moment du procès de Marie-Antoinette, il refusa de charger la reine et de lui imputer
notamment le rejet de la proposition des Girondins; son
arrestation par suite fut décrétée, et il resta enfermé dans
les cachots de la Conciergerie jusqu'au 9 thermidor; dès
qu'il fut libre, il se rendit en Angleterre, où il vécut aux
dépens des émigrés français; il rentra dans sa patrie
sous la Restauration et fut chargé de peindre le portrait
de Louis XVIII, qui a été gravé par Et. Beisson. Boze
possédait des connaissances fort étendues en mécanique :
il est l'inventeur de deux procédés aussi simples qu'ingénieux, s'appliquant l'un au dételage des chevaux qui

prennent le mors aux dents, l'autre à l'enrayage des voitures dans les descentes rapides. Boze a été gravé par L.-J. Cathelin, B.-L. Henriquez et Monin ; il n'a pris part qu'à deux salons, ceux de 1791 et de 1817. Pour la polémique qui eut lieu entre Boze, sa femme et Robert Lefèvre, au sujet d'un tableau représentant *le général Bonaparte et le général Berthier sur le champ de bataille de Marengo*, dont Boze s'attribuait l'exécution, voyez : *Journal des Arts, des Sciences et de la Littérature*, 10, 13, 20 thermidor an IX.

SALON DE LA CORRESPONDANCE, 1782.

*Portrait de Vaucanson* (pastel) ; — *portrait de l'auteur* (pastel).

27. BRANCHARD, peintre.

1779.

*Annonciation de la sainte Vierge.* (H. 15 p. L. 18 p. ovale )

BRAZIER, écrivain, rue des Prouvaires, proche Saint-Eustache, maison de Mᵐᵉ Barbier.

1779.

*Un tableau à la plume, en encre d'or de différentes couleurs, à l'occasion du sacre du roi.* « Composé et exécuté en traits, entrelacs, rosettes, « losanges, avec deux colonnes de ces mêmes traits, où se trouvent « réunis les chiffres de Leurs Majestés ; leurs portraits, couronnés par un « ange, les armes de France et de Navarre, le bâton royal et la main de « justice et un discours analogue au sujet ; pareil tableau figure dans le « cabinet du roi à Versailles, et a valu à son auteur le titre d'expert juré « écrivain du cabinet de S. M. par brevet. »

28. BRENET (*Nicolas-Guy*), peintre d'histoire, est né à Paris en 1728, et y est mort le 21 février 1792. Il fut le maître de François Gérard et du jeune Drouais ; agréé à l'Académie en 1763, il fut reçu académicien le 25 février 1769, sur : Thésée recevant des mains de sa mère les armes de son père qui devaient lui servir à se faire reconnaître (au Louvre). Nommé adjoint à professeur le 31 décembre 1773, il fut fait professeur le 4 juillet 1778. S.-C. Miger a gravé son portrait d'après C.-N. Cochin ;

il a pris part aux salons de 1763, 1765, 1767, 1769,
1771, 1773, 1775, 1777, 1779, 1781, 1783, 1785,
1787, 1789 et 1791 ; on a gravé quelques pièces d'après
lui.

### 1779.

*Femmes jouant aux osselets près d'une fontaine.* (H. 17 p. L. 20 p.)

29. BRIARD (*Gabriel*), peintre, né à Paris en 1725, est mort
dans la même ville le 18 novembre 1777 ; il remporta en
1749 le premier prix de peinture dont le sujet était :
*Résurrection d'un mort sur le tombeau d'Elisée;* agréé à
l'Académie en 1761, il fut reçu titulaire le 30 avril 1768,
sur : *Herminie se réfugiant chez un paysan,* et fut fait
adjoint à professeur le 28 juillet 1770. Briard a été le
maître de M^me Lebrun et de Demarne ; on lui doit la
*décoration de la chapelle sépulcrale de l'église Sainte-
Marguerite de Paris.* Jourd'heuil a gravé d'après lui
*le Devin du village, le Rendez-vous agréable.* Il a figuré
aux salons de 1761, 1765 et 1769.

SALON DE LA CORRESPONDANCE. 1779 (*exposition posthume*).

Sujet analogue à l'*Amour quêteur* (esquisse).

30. BROSSARD DE BEAULIEU, peintre et graveur, de La Rochelle.
Les renseignements biographiques manquent sur son
compte ; nous savons toutefois qu'il exposa au Louvre
en 1806 son propre portrait, et qu'il a gravé à l'eau-forte
d'après une de ses peintures, exécutée en 1781, le portrait d'Antoine-Éléonore Leclerc de Juigné, archevêque
de Paris. On lui doit également le portrait de Jean Gar-
rel, supérieur du séminaire de St-Louis (1781) qui a été
gravé par ... (Coll. de Bure.)

### 1782.

*Homme assis dans un fauteuil avec habits à galons d'or et dentelles; --
le portrait de l'artiste.*

### 1783.

Tableau représentant : *le Départ de la flotte de Brest lors du combat d'Ouessant, commandée par le comte d'Orvilliers* (d'après nature à la chambre obscure) — *portrait du père Elisée, carme déchaussé* . M. Brossard en avait fait don au salon de la correspondance ; le père Élisée, célèbre prédicateur, mourut à Pontarlier le 11 juin 1783; la gravure d'après ce tableau se vendait chez Pasquier et Viel, graveurs, rue Saint-Jacques, vis-à-vis le collége de Louis-le-Grand, n° 170 ; — *la Remontrance aventurée* ; un principal de collége, assis près d'une table, montre à un jeune élève la liste des mauvaises notes qu'il a, tandis que celui-ci tâche de distraire son maître de l'objet qui l'occupe; — *portrait de M. Richer, attaché à la musique de la reine;* : ce Richer était aussi membre de la Société académique des Enfants d'Apollon ; A. P. Vincent a dessiné son portrait, et Bourgeois de la Richardière l'a gravé en 1807 ; — *portrait de M. l'abbé de Dampierre, vicaire général du diocèse de Paris; — portrait de M. Grisard, avocat au parlement.*

### 1787.

*Portrait de M. l'abbé Bertrand* (à M. l'abbé Le Tonnellier, vicaire de Saint-Germain-le-Vieux).

**31.** BROSSARD DE BEAULIEU (M^lle Marie-Renée-Geneviève), née à La Rochelle en 1760, fille et élève du précédent et de Greuze. Peintre et graveur, elle était membre de l'Académie de Lyon et de celle de Rome ; elle a dirigé les premiers pas du statuaire Dupaty, et a fondé à Lille une école gratuite de dessin ; elle a gravé en manière noire les portraits de Lamoignon, de Malesherbes et de Lavoisier. Le Musée de Versailles possède de ses œuvres, et elle a figuré au Louvre en 1806 et 1810.

### 1785.

*Tête d'étude.*

### 1786.

*Tête représentant la Modestie.*

**32.** BRUANDET (*Lazare*), peintre paysagiste et graveur, né à Paris, y est décédé le 6 germinal an XII (27 mars 1804), âgé de 50 ans ; il avait épousé Catherine Linger ; il fut élève de Rœser et de J.-P. Sarrazin ; J.-A.-G. Boucher et Guyot aîné ont gravé d'après lui divers paysages et le tombeau d'Héloïse et d'Abeilard ; lui-même a gravé huit pièces à l'eau-forte ; on voit de ses œuvres aux Musées du Louvre, de Cherbourg, de Grenoble, de Nantes et de Nancy; il a exposé deux paysages à la place Dauphine en 1787, et a figuré aux salons de 1791, 1793, 1795, 1796, 1799, 1801 et 1804 (posthume).

SALON DE CORRESPONDANCE. 1782.

*Deux paysages faisant pendant* (du cabinet de M. de Mirbek, avocat aux conseils).

33. CADET DE BEAUPRÉ, sculpteur, élève de Clodion, né à Besançon en 1758, mort à Lille en 1823. Cet artiste obtint en 1785 la place de professeur de sculpture à l'Académie de Valenciennes, sur une composition représentant *Valenciennes protégeant les arts*, conservée par le Musée de cette ville; il devint ensuite professeur de sculpture à Lille, et fut remplacé après sa mort par son fils, Augustin-Phidias, né à Valenciennes le 28 avril 1800; un autre de ses fils, César-Maximilien-Aimé-Jean-Baptiste, né à Valenciennes, le 23 janvier 1786, d'abord professeur de sculpture à l'académie de sa ville natale, se fixa plus tard à Mons; enfin, un dernier fils, Stanislas-Joseph, également né à Valenciennes, le 25 mai 1787, après avoir obtenu quelques succès en sculpture, abandonna la carrière, s'engagea comme musicien dans le 44e régiment de ligne, et fut tué en Allemagne en 1806. Nous reverrons au surplus le lecteur, pour plus amples détails sur cette famille intéressante d'artistes, au livret du Musée de Valenciennes (édition de 1841), si consciencieusement rédigé par M. J. A. Potier; constatons qu'on ne rencontre aucun ouvrage de Cadet de Beaupré aux musées de Besançon et de Lille, puis, rappelons que Poinsinet de Sivry (Louis) a publié à Paris en 1760, sous le pseudonyme de Cadet de Beaupré, une comédie en un acte et en vers libres intitulée : *les Philosophes de bois*.

SALON DE LA CORRESPONDANCE. 1782.

*Bas-relief en cire représentant un faune jouant de la flûte, une bacchante et un petit satyre.*

54. CANAVAS, peintre; au passage du Riche Laboureur.

1780.

*La Volupté* (à mi-corps H. 2 pi. L. 1 pi. 1/2.

35. CARAFFE (Armand) peintre d'histoire et graveur, élève de Lagrenée, pensionnaire de l'académie de France à Rome, mourut en 1814 ; il resta en Russie de 1801 à 1802 et fut placé comme peintre d'histoire à l'Ermitage ; il a également voyagé en Turquie ; il a pris part aux salons de 1793, 1795, 1796, 1799, 1800 et 1802. Laurence a gravé d'après lui *le Serment des Horaces* et *the Oath of the Horaces to true patriotism ;* le tableau original se trouve à Arkangelsky, dans la collection du prince Youssoupof ; il existe encore une autre planche, citée par M. Ch. Leblanc, dans son Manuel de l'amateur d'estampes, *le Remords ou le Criminel vis-à-vis de lui-même.* Nous connaissons une pièce allégorique, *unique*, gravée par Caraffe, qui représente « *les Droits de l'homme et du citoyen.* »

SALON DE LA CORRESPONDANCE. 1783.

*Retour de l'enfant prodigue.* — *Résurrection du fils de la veuve de Naïm.*

36. CARRÉ, émailleur de S. A. S. Mgr. le prince de Condé, chez M. Moline, vis-à-vis la barrière des Sergents, rue Saint-Honoré.

1779.

*Une Vénus de Médicis.* — *Amour portant une couronne.* — *Une bacchante en relief* (émaux).

37. CASANOVA (François), peintre de batailles, de marines, d'architecture et de paysages, graveur ; né à Londres, en 1730, mort à Brühl, près de Vienne (Autriche), au mois de mars 1805, fut successivement élève de Guardi, Simonelli et Dieterich ; il fut agréé à l'académie royale de peinture de Paris, — nous apprend le graveur Wille dans son journal, — le 22 août 1761 « sur *une bataille* »

excellente et de bonne couleur; il devint académicien le
28 mai 1763 et offrit pour morceau de réception un
*Combat de cavalerie* qui est actuellement à Vincennes.
Casanova a pris part aux salons de 1763, 1765, 1767,
1769, 1771, 1775, 1779, 1781 et 1783. Le Louvre possède quatre de ses tableaux et l'on en voit aussi aux
musées de Rennes, d'Avignon, de Rouen, de Bordeaux,
de Nantes et de Nancy. Casanova a gravé six pièces qui
ont été décrites par M. Prosper de Baudicour. (Tome I,
pages 133-137.) F. Godefroy a gravé d'après cet artiste
(1769) une *Vue de Corse;* N. Rhein, de Vienne, a reproduit en manière noire (1794) le *Taureau furieux;*
Ad. Bartsch (1792) a gravé *l'Attaque de la forteresse
d'Ocrakow, emportée d'assaut par les Russes, commandés
par le feld-maréchal, prince de Potemkim.* Jacobé a gravé
en manière noire (1787) le *Tigre tué en Amérique par
le prince de Nassau Siegen, dans son voyage autour du
monde sur la Boudeuse, frégate commandée par le comte
de Bougainville.* Ingouf, le jeune, a également gravé à l'eau-
forte, d'après Casanova, « *l'Écurie souterraine* » ; nous
en connaissons deux états, l'un de 1774, l'autre de 1776.
de Longueil a gravé *un paysage* où l'on remarque un
berger qui joue de la Cornemuse auprès d'une bergère ;
deux vaches se battent sur le premier plan. Casanova eut
un fils, son élève et élève de David, qui a pris part aux
salons de 1808, 1810 et 1812.

### SALON DE LA CORRESPONDANCE. 1782.

*Un paysage.* Sur le premier plan on voit une femme assise à cheval ;
un âne blanc et des moutons ; plus loin une autre femme garde des moutons près d'une fontaine rustique et un homme boit dans son chapeau.

### 1783.

*Paysage.* Un paysan endormi ayant son chien auprès de lui (du cabinet
de M. le prince de Montbarey.) — *Grenadier à cheval dans un défilé* (du
même cabinet.) — *Marche d'animaux dans un paysage* (du cabinet de
M. Dufresnoy, notaire.) — *Autre tableau d'animaux* (du même cabinet.)

1785.

*Deux cavaliers armés en marche* (du cabinet de M. Dufresnoy.)

38. CAZIN (*Jean-Baptiste-Louis*), peintre de paysages et d'architecture, graveur à l'eau-forte; élève de Jollain; il a pris part aux salons de 1791, 1793, 1795, 1796, 1798, 1800, 1801, 1802, 1804, 1806, 1808, 1810, 1812, 1814, 1817 et 1819; sa femme était peintre en miniature et a figuré au salon de 1793; Cazin a gravé à l'eauforte un *Combat de cavalerie*, et deux vues, dont l'une représente *la porte du parc de Versailles, route de Marly;* il exposa en 1789 *des marines* à la place Dauphine.

1782.

*Paysage.* Sur le devant, des cavaliers sont indécis et se demandent quel chemin ils ont à suivre à cause de l'orage qui les menace; deux petits tableaux représentant : *l'Intérieur d'une ferme. — Vue d'un château près de Provins. — Vue de Paris,* ornée de paysages et de figures, prise au coucher du soleil.

39. CHARDIN, fils, né à Paris, grand prix de Rome en 1754; le sujet était Mathatias; envoyé à Rome comme pensionnaire du Roi, il mourut peu de temps après son retour en France; le Musée de Nantes possède de lui un « Intérieur italien. »

SALON DE LA CORRESPONDANCE. 1779.

(Exposition posthume).

*Un jeu d'enfants, en manière de bas-reliefs;* sur bois; imitation d'un bronze d'après Lequesnoi. (H. 8. po. L. 14. po.)

40. CHARPENTIER (*Jean-Baptiste*), peintre de Mgr. le duc de Penthièvre, était professeur à l'Académie de Saint-Luc, où il a exposé en 1762, 1764 et 1774; il a figuré aux salons du Louvre en 1791, 1793, 1795, 1796 et 1799; il y envoya son propre portrait en 1791, 1796 et 1799; le Musée de Rennes possède de cet artiste le portrait en pied du duc de Penthièvre, grand-amiral de France et

gouverneur de Bretagne; J. Prudhom et Louise Éléonore, femme Roy-Douné, ont gravé d'après cet artiste « Alphonsine ou la tendresse maternelle; Clara ou le malheur et la conscience; la Belle saison et le temps rigoureux. »

SALON DE LA CORRESPONDANCE. 1780.

*Une mère de famille.* (H. 15 po. L. 1 pi.).—*Lapin jouant avec un enfant.* (H. 22 po. L. 18 po.)

### 1781.

*Jeune femme donnant à manger à son enfant.* (H. 3 pi. 8 po. L. 2 pi. 1/2. — *Portrait de M^lle de N.* (Neuville?) danseuse de l'Opéra, (H. 1 pi. 4 po. L. 1 pi.). — *Chasseur assis sur un coteau.*

### 1782.

*Bacchante tenant un petit enfant.* (vue à mi-corps).

### 1783.

*Portrait de M. Royer (Pierre), peintre de l'Académie des arts de Londres.* — *Le Médecin aux urines.*

### 1785.

*Une cuisinière tenant un canard qu'elle va accommoder.*

41. Charpentier (*Julie*) demoiselle, née à Blois, sculpteur, élève de Pajou, pensionnaire de *Mademoiselle*; elle fut en outre préparateur de zoologie au jardin du roi. Elle a figuré aux salons de 1793, 1796, 1800, 1802, 1804, 1806, 1808, 1810, 1812, 1814, 1817, 1819, 1822, 1824 et 1827; elle a exposé son propre buste en 1793; le Musée de Blois ne possède pas de ses œuvres, mais on voit sur la place du bureau de bienfaisance de cette ville, à côté de l'église Saint-Vincent, une *fontaine* dont M^lle Charpentier a exécuté la sculpture en marbre. Elle en avait exposé le modèle au salon de 1806. Le bas-relief représente la ville de Blois avec ses attributs.

### 1787.

*Buste de sa sœur, en Vierge; — bas-relief, en bronze, représentant* S. A. S. Mgr. le duc d'Orléans.

Mlle Charpentier était fille de François-Philippe Charpentier, né à Blois, de parents pauvres, le 5 octobre 1734, mort dans sa ville natale le 22 juillet 1817, chez sa fille aînée, Mme Desparanches. Charpentier est l'inventeur du procédé purement mécanique pour la gravure au lavis et en couleur à l'aide duquel on peut reproduire exactement les croquis des grands maîtres. Il vendit son secret, et le comte de Caylus fut un des premiers à s'en servir. Il a ainsi gravé Persée et Andromède, d'après Van Loo; *la Décollation de saint Jean-Baptiste*, d'après Le Guerchin; on a encore de lui, gravé en couleur, *la Mendiante*, une *Descente de croix*, *l'Amour en capuchon*. Cette invention lui valut un logement au Louvre et le titre de mécanicien du roi. Il inventa également une machine propre à graver des dessins pour les fabricants de dentelles, et au moyen de laquelle on pouvait exécuter en quatre heures un ouvrage qui eût exigé six mois de travail au burin. Il perdit à la Révolution le logement qu'il occupait au Louvre depuis trente ans, mais il en obtint un plus tard aux Gobelins. Nous connaissons encore une planche exécutée par le même procédé, d'après une esquisse de J. Wic, et nous en possédons deux de 1756, d'après Palmérius (*le Concert italien; la Vieille femme et le berger*); le *Moniteur* du 29 août 1811 contient un curieux rapport sur les travaux de cet homme aussi modeste qu'ingénieux.

42. Chodowiecki (*Daniel*), peintre sur émail et graveur; né à Dantzig, en 1726, n'eut pas de maître; il s'occupa d'abord de la peinture sur émail, mais y renonça bientôt pour se livrer exclusivement à la gravure; il y a excellé dans le genre de l'*illustration;* il est, sans contredit, l'artiste le plus réellement spirituel que l'Allemagne ait produit, nous dit M. Georges Duplessis dans la notice qu'il a consacrée à Chodowiecki, dans le journal du graveur Wille (tome Ier, pages 505-507). Chodowiecki est mort à Berlin en 1801. On avait donné deux notices incomplètes sur cet artiste; l'une publiée en 1796, in-12, l'autre, éditée à Berlin en 1808 par Jacoby et contenant 163 pages. Le dernier travail dont nous indiquons le titre (1) ne laisse

(1) *Daniel Chodowiecki's Sammtliche Kupfertiche beschreiben mit historischen, literarischen, und bibliographischen Nachweisingen.* (Description de l'œuvre du graveur Daniel Chodowiecki, avec des indications historiques, littéraires et bibliographiques, la biographie de l'artiste, et suivie de tables, par Guillaume Engelmann, accompagnée de trois planches sur cuivre, contenant des copies des œuvres

rien à désirer, et désormais l'on peut parfaitement apprécier ce maître allemand trop négligé jusqu'à ce jour.
Nous réimprimons deux lettres que nous a conservées
La Blancherie dans son journal ; elles semblent n'avoir
pas été connues du dernier biographe de Chodowiecki :

Gotha, 30 janvier 1779.

« Vous me demandez des nouvelles de l'état de la littérature et des arts
« en Allemagne ; je m'empresse de vous satisfaire avec d'autant plus de
« plaisir que je sais combien cette partie est négligée par vos journaux
« français, et combien les notions qu'ils en donnent sont superficielles et
« erronées... L'art de l'imprimerie s'est infiniment perfectionné en Alle-
« magne : on voit sortir de nos presses des ouvrages ornés de tout le luxe
« typographique qui, jusqu'à présent, avait caractérisé les seuls livres
« français. Dans le grand nombre des artistes qui consacrent leur burin
« à l'embellissement des éditions précieuses, on en compte trois princi-
« paux : MM. Chodowiecki et Meil, à Berlin, M. Geyser, à Leipsig ; le pre-
« mier des trois est celui dont la réputation est la mieux établie, et, en
« effet, son mérite égale sa réputation et ne la démentirait point dans
« quelque nation que ce pût être. Une gravure de sa main est une puis-
« sante recommandation pour un ouvrage. Seulement, les connaisseurs
« désireraient qu'il fût plus avare de ses dessins, qu'il en fît moins de
« commande et qu'il ne les prostituât pas à la tête de toute espèce d'ou-
« vrages. Cet artiste, destiné originairement par son père au commerce,
« a été emporté, par l'ascendant de son génie, dans la nouvelle carrière
« au terme de laquelle il est parvenu avec tant d'éclat. Il est le premier
« des Allemands qui ait imité le célèbre Hogarth. On a de lui douze ta-
« bleaux dans lesquels il a tracé la vie d'un libertin allemand ; ils sont
« pleins d'expression, de caractère et de traits nationaux. On trouve dans
« le second volume de la « Bibliothèque des romans » (de M. Reichard,
« bibliothécaire à Gotha) l'explication de ces douze planches, qui for-
« ment un petit roman muet infiniment intéressant. Une de ses plus nou-
« velles productions est le portrait du roi de Prusse, accompagné du
« prince héréditaire et de ses généraux. Leurs ressemblances sont frap-
« pantes. Un artiste de Nuremberg, connu par un Voltaire moulé en
« étain, dans son déshabillé de Ferney, vient de copier de la même ma-

les plus étranges de ce maître.) — Leipsig, G. Engelmaun, 1857, in-8° de 543
pages ; on trouve encore une notice sur Chodowiecki dans le magasin encyclopédique Millers, 10ᵉ année, 1805, tom. 2, p. 282 ; elle est signée par Mᵐᵉ H. de H.,
née de Kl.

« nière le portrait de ce roi, d'après le dessin de M. Chodowiecki. La
« figure n'a que quelques pouces de haut. M. Chodowiecki vient encore
« d'orner un nouveau journal fort accueilli du public et connu sous le
« nom de « Gazette théâtrale et littéraire de Berlin » de plusieurs groupes
« pris de différentes situations du Hamlet de Shakespeare. On n'y saurait
« assez admirer la richesse, l'expression et la vérité de son burin. Le
« même graveur décore aussi de ses gravures quelques-uns de ces alma-
« nachs dont le nombre commence à nous inonder. On remarque, dans
« ce moment-ci, celui de Gottingue, de l'année ; mais il faut avertir les
« étrangers de ne pas juger du graveur par les empreintes des épreuves
« que nos imprimeurs tirent sur un mauvais papier sans colle, qui ne
« peut manquer de confondre les traits au point de défigurer entièrement
« le dessin. M. Chodowiecki continue à s'occuper des gravures qui accom-
« pagneront la traduction de Gil-Blas, faite par M. Mylius, de Berlin,
« déjà connu par la traduction des contes d'Hamilton et par celle de
« Candide, qui a paru également avec des estampes du même artiste. Il
« sera bien difficile, pour ne pas dire impossible, de former des collec-
« tions un peu complètes des ouvrages de cet artiste, qui sont répandus
« et enterrés dans une multitude de romans, de journaux et d'écrits de
« tous les genres.

   « Dans ce moment-ci il n'en existe qu'une seule, et c'est chez un prince
« qui non-seulement protége les arts et les sciences, mais qui les cultive
« avec le goût le plus éclairé, chez le prince de Saxe-Gotha, notre souve-
« rain très-chéri. »

Chodowiecki, répondit de Berlin, le 6 avril 1779, à cette communication, et il adressa sa lettre à M. Formey, secrétaire perpétuel de l'Académie des sciences, belles-lettres et arts de Prusse ; voici cette réponse :

   « Je vous suis très-obligé de ce que vous avez bien voulu me commu-
« niquer la feuille des *Nouvelles de la République des lettres et des arts*. Je
« dois me justifier contre quelques inculpations qu'a faites à mon sujet
« l'auteur de la lettre de Gotha du 30 janvier, adressée à M. de La Blan-
« cherie ; mais je ne saurais le faire sans que ma défense ne devienne
« plus longue que toute cette lettre, et j'ai si peu de temps de reste, qu'il
« faut que je me contente de vous dire, monsieur, que, quant à la *pros-*
« *titution de mes dessins à la tête de toutes sortes d'ouvrages*, tout homme
« qui pense devinera facilement toutes les raisons que je pourrais alléguer
« qui m'empêchent d'y obvier ; la plus forte, selon moi, est que je ne suis
« pas plus en état de juger des ouvrages des savants que la plupart des sa-
« vants ne sont en état de juger des miens, et assez modeste pour ne le pas
« vouloir. Cet auteur n'est pas le seul qui croit que je suis imitateur de
« Hogarth ; mais il se trompe comme les autres. Quand j'ai composé le

« petit roman en question, je ne possédais pas dans ma collection d'es-
« tampes un seul morceau de Hogarth, je n'en avais vu qu'en passant.
« Depuis qu'on m'a fait l'honneur de me comparer avec cet artiste, j'ai été
« plus attentif à ses productions, et pourtant, à l'heure qu'il est, je n'en
« possède qu'une seule pièce ; ce n'est pas parce que je ne l'estime pas,
« mais parce que j'ai manqué d'occasion pour en avoir davantage, et que
« je trouve plus facilement des productions qui me donnent plus de sa-
« tisfaction ; car, autant je trouve Hogarth excellent dans l'invention
« et la poésie de ses ouvrages, aussi peu suis-je content de son dessin et
« de son exécution en général. Son exécution est bonne pour les passions
« violentes, quoiqu'il les outre presque toujours ; mais il est très-mé-
« diocre pour les passions douces et agréables. J'admire cet homme,
« mais je ne voudrais jamais l'imiter ni conseiller à personne de l'imiter.
« En général, je ne puis souffrir les imitateurs; un homme qui a du génie
« doit en suivre les inspirations: celui qui n'en a point ne doit pas se mêler
« des arts. »

« Les jeunes gens qui se vouent aux arts sont rarement conduits de
« façon à se pouvoir promettre beaucoup de succès de leurs études; on
« les fait trop longtemps copier d'après des estampes ou des tableaux
« qui, pour la plupart (pour ne pas dire tous), sont maniérés; quand,
« après cela, ils veulent copier d'après nature, ils trouvent que la nature
« ne ressemble pas à ce qu'ils ont été accoutumés de copier; on leur a
« beaucoup parlé d'un idéal que l'artiste doit avoir présent à l'esprit; ils
« prennent faussement la manière de leur maître pour cet idéal, et corri-
« gent la nature par le moyen de ce prétendu idéal. Cela va si loin, que
« si le jeune homme s'adonne au portrait, il corrige toutes les différentes
« physionomies qu'il doit peindre et les fait toutes ressembler à son
« idéal. De là, tous ces portraits qui ont tous un caractère général, tels
« que ceux de Kheller. A l'Académie on fait la même chose : tous les
« jeunes gens corrigent le modèle selon la manière adoptée par le di-
« recteur.

« Pour moi qui me suis formé par moi-même et sans maître, et qui n'ai
« étudié que la nature, sans savoir qu'il existait quelque chose qu'on ap-
« pelle un idéal, je dois peut-être attribuer à cela même la vérité qu'on a
« la bonté de trouver dans mes ouvrages. En voilà plus qu'il ne faut.
« Pardonnez, Monsieur, la longueur à laquelle je me suis laissé entraîner.
« J'ai encore quelques détails à ajouter, et je désire qu'ils soient connus,
« comme ceux qui les précèdent. M. de La Blancherie, vu son dévoue-
« ment aux sciences et aux arts, aux savants et artistes, et surtout à
« ceux qui sont étrangers, aura sûrement la complaisance d'en faire
« usage : l'auteur de la lettre de Gotha, en parlant de mon portrait du roi
« et de la copie qui en a été faite à Hurnbey, en plomb, ne connaît sans

« doute pas les différentes copies gravées qui ont été faites. J'en connais
« qui ont été faites à Londres, à Paris, à Bâle, par M. de Meckell. A
« l'égard de l'almanach de Gottingue, il ne faut pas seulement avertir le
« public par rapport aux meilleures épreuves, mais aussi par rapport
« aux copies qui en ont été faites. Quant aux collections complètes de
« mon œuvre, il y en a, outre celle qui est chez le prince de Saxe-Gotha,
« plusieurs ici, entre autres chez le conseiller et juge de Berlin,
« M. Schmids, le peintre Falbe, le graveur Berger, le ciseleur Saleur et
« chez moi ; à Dresde, chez M. le conseiller de Vieth, le graveur Zing et
« le peintre Graff ; à Leipsig, chez MM. Bauser et Geyser ; à Zurich, chez
« MM. Lavater et Schellenborg ; à Amsterdam, chez M. Ploos Van Amstel ;
« à La Haye, chez M. le baron de la Raye de Brencklerwaers ; à Paris,
« chez M. Cavaillé. M. de Mariette en avait fait un commencement de
« même que le cabinet des estampes à Dresde ; à Mons, le conseiller-se-
« crétaire de Heineken-Alldowren ; mais on n'a pas continué. A Péters-
« bourg, il y en a une ou deux collections ; à Freyberg, chez le conseiller
« des mines de Ferber, il y en a une, sans celles qui peuvent exister à
« mon insu (1).

« CHODOWIECKI. »

43. CHOFFARD (*Pierre-Philippe*), graveur, né à Paris le
19 mars 1730, décédé dans la même ville le 7 mars 1809,
était élève de Dheulland et de Babel ; graveur infatigable
d'ornements qu'il exécutait d'après ses propres dessins,
son œuvre se compose de plus de 1,500 pièces ; il a
laissé son propre portrait gravé en 1762 ; on lui doit
une notice historique sur l'art de la gravure en France
(Paris 1804), et il a exposé une seule fois au salon de 1804,
l'*Oracle des amants.* Pour ses démêlés avec le graveur
Stagnon, au sujet de planches du voyage d'Italie de
Richard de Saint-Non, voyez ci-après : Stagnon.

44. COCHIN (fils, le chevalier *Charles Nicolas*), graveur, secrétaire perpétuel et historiographe (25 janvier 1755) de
l'Académie de peinture et de sculpture. Né à Paris le
22 février 1715, il y est mort le 29 avril 1790. La célébrité qui s'est attachée à son nom nous dispense, dans un

(1) Le cabinet des estampes de la bibliothèque impériale de Paris possède
(1862) un œuvre de Chodowiecki, renfermé en quatre volumes in-folio, et que l'on
peut considérer comme complet.

travail de la nature de celui que nous avons entrepris, de
nous appesantir sur son compte. Il fut agréé à l'Académie
en 1742, et reçu académicien le 27 novembre 1751, sur
*Lycurgue blessé dans une sédition* (Louvre). Il donna en
sus, le 31 mai 1766, un portrait du Pape Benoît XIV. Il
a figuré aux salons de 1742, 1743, 1745, 1750, 1753,
1755, 1761, 1765, 1767, 1769, 1771, 1773, 1775 et
1781.

### 1781.

*Dessin au crayon rouge représentant l'heureux gouvernement de Louis XVI*
(gravé par Moreau? H. 16 po. L. 11 po.). L'abbé Joly, garde du cabinet des
estampes du roi, était l'inventeur de cette idée, et voici la description
qu'il avait envoyée au *Salon de la Correspondance*, pour accompagner le
dessin de son ami. « L'effigie du roi et de la reine, placée dans le ciel,
« au milieu d'une gloire où l'on voit briller leurs vertus héroïques,
« indique que ces souverains sont à la France ce que le soleil est à
« l'univers. Des fêtes champêtres qu'on aperçoit dans les riantes campa-
« gnes, désignent l'abondance et les plaisirs qui sont les suites d'un
« gouvernement équitable. La rapine et le luxe, extirpés par les rayons
« convertis en foudre, annoncent le retour de l'âge d'or qu'on doit à la
« sagesse de leurs majestés et aux ministres. »

45. CONVERS (*Charles*), architecte de S. A. S. Mgr. le prince de
Conti, était fils de Convers (Pierre), entrepreneur de bâtiments, ancien syndic et doyen de sa communauté, inhumé à Saint-Sulpice le 6 juin 1780, à l'âge de 74 ans,
veuf de Marie Catherine Payresaube.

### MARS. 1783.

Nous apprenons par le journal de Lablancherie que Charles Convers
venait de faire construire sur ses dessins la nouvelle église des Filles de
Saint-Chaumont ou de l'Union Chrétienne, rue Saint-Denis, n° 574. Le
tableau du maître-autel, représentant l'Adoration des Bergers, était de
M. Ménageot, peintre du roi, et avait été donné à cette église par la princesse de Conti, qui en posa la première pierre. M. Duret avait été chargé
de la sculpture, qui consistait en bas-reliefs représentant le Christ au
sépulcre; le Christ avec les pèlerins d'Emmaüs; des statues de la Vierge,
de saint Joseph et de saint Augustin.

Ce couvent fut supprimé en 1790; sur son emplacement a été établi le passage Saint-Chaumont. Les Annonces, affiches et avis divers, ou Journal général de France (1782, tom. **2**, p. 1915), ont rendu compte de la cérémonie de bénédiction de l'église des Filles de Saint-Chaumont, par l'archevêque de Paris.

### 46. CORBET, sculpteur flamand.

#### 1781.

Groupe d'animaux en terre cuite, représentant : *Un lion furieux qui se défend contre des dogues* (diamètre 6 po). — Serait-ce le même personnage que nous retrouvons, en l'an v, bibliothécaire des écoles centrales du département du Nord, et qui fit imprimer chez Deseune une réponse au « Rapport contre les arts et les artistes, fait par le citoyen Mercier au conseil des Cinq Cents? »

### 47. COUASNON (*Jean-Louis*), sculpteur, né à Culan (Cher), élève de Jean-Baptiste d'Huèz, a pris part aux salons de 1795, 1799, 1800, 1801 et 1802; il avait modelé d'après nature les bustes de la famille royale.

#### 1779.

*Buste en plâtre de Parmentier*, censeur royal, auteur de plusieurs ouvrages de chimie et d'économie, inventeur du pain de pommes de terre. (Réexposé en 1799.) — *Buste, grandeur naturelle, de M<sup>me</sup> Gaucher*, épouse de Gaucher, dessinateur et graveur de l'Académie des arts à Londres. — *Buste de jeune fille*, dem. nat., modelé en terre.

#### 1785.

*Buste du maréchal-des-logis Louis Gillet, résidant aux Invalides*. (Réexposé en 1795.) Wille fils a peint le même sujet, qui a été gravé par son père.

Dans son journal (tom. **2**, p. 132), il nous dit à cette occasion : « Je lui mande aussi que Louis Gillet, maréchal-des-logis, que mon fils a peint délivrant une jeune fille des mains de deux brigands, et qui se trouve actuellement aux Invalides, avait reçu du gouverneur de cette maison, après avoir vu cette représentation au salon, une pension de deux cents livres, dont ce brave maréchal-des-logis avait été si enchanté, qu'il était allé le remercier comme le mobile de sa fortune actuelle. » Gaucher a gravé le même trait. Voyez ce nom.

### 48. DANLOUX (*Pierre*), peintre et graveur, naquit à Paris en 1745 et y mourut le 3 janvier 1809. Il passa sa jeunesse en

Italie et y reçut les premières leçons de son art ; pendant
la révolution, il se rendit en Angleterre et y demeura dix
années ; il avait été porté sur la liste des proscriptions,
s'étant attiré l'inimitié de David, son ennemi irréconci-
liable, depuis une altercation des plus vives qu'avaient eue
les deux artistes à Rome (1775-1780). Nous devons ce
renseignement à M. le capitaine Vieune, auteur d'une
monographie de Danloux et collègue d'un petit-fils de
l'artiste qui nous occupe. Danloux a figuré aux salons
de 1791, 1802 et 1806 ; on voit de ses œuvres au Musée
de Versailles (portrait de J. Delille), qui lui a consacré
ces deux vers dans son poëme de la Pitié :

> Nous pleurons quand Danloux, dans la fosse fatale,
> Plonge, vivante encore, sa *Charmante vestale.*
>
>                    (SALON DE 1802).

à Cambridge, au Musée Fitz-William, et à Varsovie, au
palais Lazienski ; on en retrouve également dans des collections d'amateurs, surtout en Angleterre et en France,
chez M. le marquis de Cossé, au château de Blainville
(Eure-et-Loir), et à Toulouse, chez M. de Ferbe. Danloux a été gravé par Andinet, Mitchell, Beljambe,
C. Wilkin, Laugier, Grozier, W. Skelton, et lithographié par Vallon de Villeneuve. — Nous connaissons une
tête d'étude gravée par lui-même. — Ajoutons qu'il
exposa à la place Dauphine, en 1771, *un Ivrogne auprès
d'une table ;* en 1772, *son portrait sous l'habit de Crispin ;*
en 1773, *les portraits de Préville et de Feuillie,* de la
Comédie Française.

### SALON DE LA CORRESPONDANCE. 1782.

*Chasseur assis dans un bois et caressant son chien* (huile). — *Portrait
de Genillion, peintre* (huile). — *Jeune femme assise sur un sopha et lisant
une lettre avec beaucoup d'intérêt ; un jeune homme placé, derrière elle, tâche
de deviner, sans qu'elle s'en doute, quel en est le sujet.* (M. le marquis de
Saint-Marc.) — *Diogène demande l'aumône aux statues pour s'habituer à être*

*refusé.* (A M. Lambert, consul d'Espagne.) — *Portrait d'artiste.* (Grandeur nature, à M. Ganda.)

49. DARDEL (*Robert-Guillaume*), sculpteur et graveur, est né à
     Paris en 1749 ; il est mort dans la même ville en 1821 ;
     il était élève de Pajou et a figuré aux salons de 1791,
     1793, 1812, 1814 et 1817. On lui doit l'une des statues
     des grenadiers qui décorent l'Arc de Triomphe du Car-
     rousel et le Musée de Versailles. Ponicle le *buste* en
     plâtre de *Jacques Elliot*, aide de camp du général Bona-
     parte, dont l'original en marbre se voit aux Tuileries dans
     la salle des Maréchaux ; en 1796, il fut nommé adminis-
     trateur du Musée établi à Versailles, et il remporta en
     1800 le prix d'encouragement lors du concours ouvert
     pour un monument à l'occasion de la paix d'Amiens. Son
     gendre, Tourcaty, peintre-graveur, éditeur, a gravé
     d'après lui : *l'Amour désarmé; Psyché abandonnée par
     l'Amour; Sacrifice à l'Amour, Sacrifice à l'Amitié;
     Vertumne; Pomone; le Sommeil de Vénus; The peace
     bringing back the aboundance and driving out the discorde;
     le Départ de Mars; le Tombeau de Frédéric II, roi de
     Prusse;* L. Boutelou, graveur du prince de Condé, a des-
     siné et gravé d'après les modèles de Dardel : *le Grand
     Condé jetant son bâton de maréchal dans les lignes de
     Fribourg; Turenne couvrant de son bouclier les lys de la
     France;* Louche a gravé d'après le même artiste *la
     Prudence;* M<sup>me</sup> Dardel a gravé *la Danse ; la Musique;*
     et nous connaissons, gravés par Dardel : *Diane; Endy-
     mion.*

SALON DE LA CORRESPONDANCE. 1781.

*Groupe représentant une allégorie en l'honneur de l'empereur de Russie.*
(H. 18 po.) Le czar, sous la forme du génie, anime la Russie par le feu de
son flambeau; l'aigle de la Russie, prenant son vol, emporte dans ses serres
les cartes des provinces conquises et les plans des batailles qu'il a ga-
gnées. — *Esquisse à la gloire de Copernic.* Ce philosophe est représenté
arrêtant d'une main le soleil sous la figure de Phébus, et de l'autre faisant
marcher la terre. — *Bas-relief en terre cuite, faisant allusion au rétablisse-*

ment de la marine par le roi. Le roi, conduit par la Sagesse, étend son sceptre sur la mer, qu'on voit couverte de vaisseaux. — *Esquisse à la gloire du maréchal de Vauban :* il est représenté couronnant la France avec des fortifications. — *Esquisse à la gloire du maréchal de Villars :* il est représenté tenant son épée d'une main et de l'autre la palme de la victoire, qu'il a arrachée à l'aigle de l'empire. — *Esquisse à la gloire de Pérache :* Pérache est figuré sous la forme d'Hercule; d'une main, il terrasse le Rhône, de l'autre, il détourne son urne. Cette esquisse rappelle parfaitement les obstacles que M. Pérache a eus à vaincre pour embellir la ville de Lyon. — *Esquisse à la gloire de Henri IV :* ce monarque terrasse l'ambition et le fanatisme qui s'élevaient contre lui.

### 1782.

*Le Grand Condé jetant son bâton de commandement dans les retranchements des ennemis, et courant l'épée à la main pour le reprendre.* (Exécuté en bronze pour S. A. S. Mgr. le prince de Condé. H. 18 p.). — *Descartes perçant les ténèbres de l'ignorance :* un rayon de lumière s'échappe de ses pieds pour désigner qu'il fit entrevoir la vérité. Terre cuite.

### 1785.

*Buffon entouré de tous les objets qu'il a parcourus dans son histoire naturelle, ou de tous les signes qui peuvent les représenter, prêt à écrire.* (Terre cuite.)

### 1787.

*Bossuet* (terre cuite de 7 po. de proportion). Ce grand homme est représenté debout, le visage animé, la bouche entr'ouverte, la main droite étendue dans l'attitude d'un auteur qui parle, on comprend qu'il prononce un discours sur l'histoire universelle, parce qu'il tient de la main gauche des cahiers sur lesquels le titre de cet ouvrage est écrit. Un globe terrestre, qui est près de lui, fait sentir l'application de ce discours ; à ses pieds sont plusieurs cahiers, pour indiquer ses différents ouvrages, et particulièrement ses Oraisons funèbres — *Pascal* (terre cuite d'un pied de haut). Il est entouré de volumes, ses principaux ouvrages, traçant la cycloïde avec le flambeau du génie. — *Énée emporte son père Anchise au milieu des flammes et le défend contre ses ennemis.* Le jeune Ascagne tient le bouclier d'Énée dont il couvre à la fois son père et son grand-père. Groupe en terre cuite d'un pied de haut.

50. DAVY DE CHAVIGNÉ (*François-Antoine*), architecte, élève de Vial, naquit à Paris, le 4 mai 1747 : il y mourut le 17 août 1806. (Son père fut inhumé à Saint-Louis en

l'Isle, le 9 juin 1784.) Chavigné avait acheté en 1775 une charge d'auditeur en la chambre des comptes, où son père était conseiller, et il faisait partie de la Société libre des sciences, lettres et arts de Paris. Il lut dans cette Société divers mémoires ou projets; trois ont été imprimés (1), mais aucun n'a été réalisé; c'est toutefois au zèle et aux démarches de Chavigné que l'on doit la reconstruction du pont qui se trouve entre l'île Saint-Louis et la Cité; il en exposa (1800) le plan d'élévation et les détails, qui ont été gravés par Taraval. Normand a gravé d'après le même architecte trois plans du temple de la Concorde, projeté en l'an x sur les constructions de l'église de la Concorde.

### 1779.

Deux dessins : 1º *Vue et perspective d'un monument à la gloire du roi, en mémoire du rétablissement de l'ancienne magistrature.* (Composé et dessiné par D. de Ch. en 1775, gravé par Gust. Taraval). 2º *Vue perspective d'un monument projeté en mémoire de la protection accordée par Marie-Antoinette à la littérature et aux arts* (composé et dessiné par D. de Ch. en 1777, gravé par Gust. Taraval en 1778. H. de chaque dessin, 18 p. L. 30 p.)

### 1780.

Quatre dessins représentant : *le plan général, le plan particulier, la coupe* et *l'élévation générale de la rotonde de Saint-Louis du Sacre.* C'est le projet d'un monument destiné au sacre et à la sépulture des rois de France, aux catafalques, aux mariages des princes et aux différentes cérémonies de l'ordre royal et militaire de Saint-Louis. Le centre de ce monument serait placé au point de réunion de l'axe de la rue Dauphine et du pont Neuf avec celui du palais du Luxembourg. Le plan est circulaire, environné d'une galerie continue qui se réunit, des deux côtés, au portail

(1) Projet d'un monument sur l'emplacement de la Bastille à consacrer par les états généraux à la patrie, à la liberté, à la concorde et à la loi, pour être exécuté au moyen de la contribution volontaire de tout citoyen français. — Paris, Méquignon le jeune, 1789, in-8º de 27 pages. — Temple de la Concorde, monument projeté sur les constructions de l'église La Madelaine..., en mémoire de la paix générale de l'Europe par le traité d'Amiens et du rétablissement de la religion catholique en France par le Concordat. — Paris, imp. de Lenormand (1802), in-8º pièce.

en face du Luxembourg; il occupe le milieu d'une place circulaire
dont les bâtiments sont destinés au logement des comtes de Saint-Louis,
chanoines de cette église. Ces canonicats simples seraient la récompense
des officiers de cet ordre qui, après avoir versé leur sang pour la patrie,
consacreraient à Dieu des jours qu'ils ne peuvent plus employer à la défense de l'État. Les issues de cette place seraient au nombre de six ;
savoir : 1° la rue de Tournon, 2° la rue des Cordeliers, à laquelle se réu-
nissent les rues de Condé et des Fossés Monsieur-le-Prince; 3° la rue
Dauphine, à laquelle se joignent les rues Saint-André-des-Arts et Mazarine ; 4° la rue de Seine; 5° la rue Sainte-Marguerite, à laquelle la rue
du Four vient aboutir ; 6° enfin, une issue dans la foire Saint-Germain.
Lors des cérémonies, la cour viendrait au palais du Luxembourg, d'où
elle se rendrait à la rotonde. De quelque côté que l'on arrive, on monte à
ce temple par un emmarchement général de 18 p. de largeur et 9 de hauteur ; on y entre par neuf portes, savoir : trois sous le portail et trois de
chaque côté, le plan est combiné de manière que le spectateur découvre,
dès l'entrée des portes principales, le dôme, les quatre nefs et une partie
des chapelles latérales. (Ces plans ont été vus par messieurs de l'Académie d'architecture, qui leur ont reconnu beaucoup de mérite.)

51. Debucourt (*Louis-Philibert*), peintre et graveur, fils d'un
procureur qui en 1789 fut nommé syndic de la Chapelle-
Saint-Denis, naquit à Paris (6ᵉ arrondissement) le 13 février 1755 ; élève de Vien, il mourut à Belleville (1), rue
des Bois, n° 18 *bis*, le 22 septembre 1832, âgé de
77 ans, chez son neveu M. Jean-Pierre-Marie Jazet, son
élève et le digne continuateur du genre en *aquatinte*,
qu'il avait poussé à un si haut degré de perfection, qu'on
l'en a quelquefois, mais à tort, considéré comme l'inventeur. Tout le monde connaît les spirituelles productions de Debucourt. L'on sait peu de chose sur la vie
privée de l'artiste ; nous devons ce que nous allons dire à
l'obligeance de M. Jazet. Trop tôt négligé par suite de la
tourmente révolutionnaire, Debucourt reprend de nos
jours son rang légitime auprès des amateurs. Debucourt
a été marié deux fois ; il a survécu à ses deux femmes ; la

(1) L'acte de l'état civil, rédigé à Belleville, porte à tort le nom de *Dubucourt* au
lieu de *Debucourt*.

première, Marie-Elisabeth-Sophie Mouchy, qu'il perdit
le 5 avril 1783 (Saint-Germain-l'Auxerrois), était fille
d'un sculpteur ; la seconde, Suzanne-Françoise Marquant,
fille d'honnêtes bourgeois et tante de M. J.-P.-M. Jazet,
mourut à la Chapelle-Saint-Denis. Après de bonnes
études de dessin, Debucourt se sentit attiré vers les
maîtres flamands, qu'il admirait et qu'il copiait au musée
du Louvre ; le peu de tableaux qui restent de lui dans
un format très-restreint, représentent des fêtes publiques, des empiriques en plein air, et sont exquis de
dessin, de couleur et d'effet. Debucourt fut agréé en 1781
à l'Académie royale de peinture et de sculpture ; mais,
comme il ne s'était pas conformé à l'obligation, très-
sage du reste, que le roi Louis XVI avait imposée à
chaque agréé d'offrir à ses collègues un morceau de réception pour passer académicien, Debucourt — la Révolution aidant — resta simple agréé. La Restauration l'en
dédommagea en le nommant membre correspondant de
l'Institut le 23 septembre 1817. Debucourt a pris part
aux expositions de 1783, 1785, 1804, 1810, 1812,
1814, 1817 et 1824 ; en 1829 il exposa à la salle
Lebrun son tableau intitulé : Trait d'humanité de
Louis XVI, qu'il avait peint en 1785 ; Debucourt a également figuré à la place Dauphine. Cet artiste avait déjà
acquis une certaine renommée ; ses dessins et ses tableaux
étaient recherchés ; mais, timide, insouciant, ami de la
liberté artistique, il ne profita pas des occasions qui lui
étaient offertes ; il préféra se livrer à la gravure, et il
l'aborda de suite avec l'esprit et la finesse que l'on trouve
dans ses toiles ; il a gravé en couleur, à cinq planches,
et c'est à la connaissance d'un artiste italien qu'il doit le
perfectionnement de ce genre. Esprit actif et chercheur,
Debucourt s'était en outre occupé de chimie ; il l'appliqua
aux arts au point de vue de l'optique et de la mécanique ;
il a fait, sur ses propres compositions, deux pièces fort
rares aujourd'hui, *le Premier jour du* xixᵉ *siècle* et *le*

*Jugement de Pâris;* ces deux estampes sont un type parfait des habitudes, costumes et ameublements du commencement du premier empire. Debucourt a gravé,
d'après Carle et Horace Vernet et d'après Duval Le Ca-
mus, des *Costumes militaires, français et étrangers; des
Scènes de mœurs populaires; des charges d'Anglais; le Cheval sauvage; le Mameluk au combat; la Bataille de Somo
Sierra; la Promenade publique; la Galerie du Palais-Royal;
le Menuet de la Mariée; la Fête du village; le Jour de l'an;
la Fête du grand-papa; Annette et Lubin; la Cruche
cassée,* etc. Il a fourni des planches au Voyage pittoresque au nord de l'Italie, d'après Naudet, Cassas et Du-
perreux. Il serait à désirer que quelqu'un s'occupât de
rédiger le catalogue de l'œuvre de Debucourt, qui offrirait
un double intérêt au point de vue de l'art et de l'histoire.
Debucourt fut l'ami spirituel et recherché des hommes
célèbres de son jeune temps; il représente cet ancien
type de l'artiste heureux de son art, pétillant de séve et
d'esprit, aimable et bon, vivant sans jeter vers l'avenir
un regard inquiet ou prévoyant.

### SALON DE LA CORRESPONDANCE, 1783.

*Intérieur d'un ménage flamand* (du cabinet de M. le comte de Cossé).

52. DEFRANCE (*Liénard*), né à Liége en 1735, mort en
1805; cet artiste a traité tous les genres, excepté la
marine; élève de Jean-Bernard Coclers, peintre hollandais, il visita l'Italie et la France, et obtint à Paris, en
1789, un prix pour son « *Mémoire sur la nature et l'em-
ploi des couleurs.* » Nous ignorons si cet ouvrage a été
imprimé. Defrance fut un des premiers professeurs de
l'Académie de Liége; il a professé également à l'École
centrale du département de l'Ourthe; il a pris part aux
Salons de 1791 et de 1795; E. Ramus a gravé d'après
lui le *Savetier battant sa femme.* J.-F. Milson, le *Portrait de Ch.-Nic. Alexandre, évêque de Leyde;* Marius

Asprucci a gravé à l'eau-forte, en 1806, un *Projet de fontaine dans le goût égyptien.*

### 1779.

*Caverne de voleurs dans une carrière* (huile. H. 19 po. L. 26 po.). « Des
« voleurs, dont la caverne est la demeure, viennent d'arrêter un coche
« public. Ils sont représentés au moment où ils amènent les femmes qui
« s'y trouvaient, et où ils font transporter les bagages. Des cadavres
« d'hommes que l'on dépouille annoncent que les hommes ont été tués
« et que la lubricité seule a conservé la vie aux femmes ; le principal
« groupe est composé de scélérats qui attachent la plus jolie des prison-
« nières à une échelle, ne lui ayant laissé d'autre vêtement que sa che-
« mise ; les chefs de la bande, agenouillés autour d'une malle, tirent au
« sort, au moyen de cartes, à qui écherra la victime ; d'un autre côté, la
« compagne d'un de ces scélérats se plaint de l'infidélité qu'on va lui
« faire ; au-dessus de sa tête est couchée, dans un hamac, une autre
« femme dont la tranquillité, à la vue de ce spectacle, atteste l'indiffé-
« rence qui est la suite du crime. Ces voleurs sont tous déguisés, l'un
« en hermite, l'autre en abbé, un troisième en soldat. Dans le plan le
« plus éloigné de la caverne, on voit une femme désolée qu'on amène
« avec un petit enfant ; à la lueur d'un flambeau, on aperçoit de tous
« côtés des fusils, des poignards et des pistolets. » (La Blancherie.)

### 1781.

Deux tableaux représentant : l'un, l'*Intérieur d'une boutique de savetier ;*
l'autre, l'*Intérieur d'une boutique de perruquier.*

### 1782.

*Intérieur d'une tabagie.*

### 1785.

Deux tableaux représentant : l'un, *Une forge de clous en activité, avec
des spectateurs ;* l'autre, l'*Intérieur d'un cabaret* (à M. le prince de Montbarey).

### 1786.

*Intérieur d'une fabrique de canons de fusils — intérieur d'une forge* (du
cabinet de madame de Saint-Mauris).

### 1787.

Tableau représentant l'*Abolition de la servitude dans les domaines du
roi.* « Sur le premier plan du tableau est une église à la porte de laquelle
« on vient d'afficher l'édit de liberté. Le curé du lieu en fait la lecture et
« l'explication à un groupe de ses bons paroissiens, et l'on voit la ma-

« nière dont chacun est affecté, selon son âge ou ses relations. Sur le
« second plan, une troupe de jeunes gens amènent une charrue, qu'ils
« couvrent de fleurs, et au devant de laquelle ils ont attaché un lys.
« Plus loin, et sous une touffe d'arbres, on voit le buste du roi, élevé sur
« des branchages d'où retombe une étoffe parsemée de fleurs de lys,
« autour duquel des jeunes gens de l'un et de l'autre sexe dansent,
« tandis que des hommes et des femmes de tout âge prennent part à
« cette allégresse et que les flammes vont dévorer un emblème de la
« main-morte. D'un côté, sur le devant, un vieillard qui se rendait au
« lieu de la fête, obligé de se reposer, s'unit de loin à ceux qui la
« célèbrent, par les démonstrations de sa joie. L'on voit au loin deux
« hommes qui, les mains croisées, portent un malade et arrivent à
« grande hâte. Il n'y a pas jusqu'à un mourant qui ne veuille jouir de
« cet événement. » (La Blancherie.)

53. DELABRIÈRE, architecte de monseigneur le comte d'Artois ;
nous avons fait de vaines recherches sur cet artiste et
nous ajouterons qu'on est toujours fort embarrassé lorsqu'on a à s'occuper d'un architecte ; ce sont bien certai-
nement les hommes sur le compte desquels on a le moins
écrit ; nous n'hésiterons pas toutefois à réimprimer *in
extenso* la description, insérée en 1787 dans le *Journal
de la république des lettres et des arts* (page 11), du *Plan
d'un temple pour la sépulture de nos rois, environné de
tombeaux des princes et de la noblesse et de chapelles
pour l'inhumation des grands hommes et de toutes les
classes des habitants de Paris.* (L'auteur avertissait le
public qu'on pouvait prendre communication, à son domicile, rue Meslay, 29, des plans et de leur description.)

Ce projet paraît avoir pour objet de réunir autour de nos
souverains, même après leur mort, ceux que leurs bienfaits ou le devoir leur ont attachés par les liens du sang,
de la reconnaissance, de l'amour, du patriotisme, des
vertus, des sciences et des talents, afin que les sujets
dont les services ou les lumières ont fondé la gloire de
nos rois, servent encore à leur immortalité par l'hommage continuel que la postérité leur rendrait en commun
dans ces vastes monuments.

Les plans et la description qui y est jointe présentent une
enceinte de 90 arpents vers le milieu de la place Saint-
Denis, à l'est de son avenue. Cette enceinte, qui forme
un carré long terminé ultérieurement par une partie
demi-circulaire, est distribuée, à l'entrée, en une partie
demi-circulaire concave, terminée par deux corps de bâtiments pour les princes, les officiers et le cérémonial
lors des obsèques royales, ainsi que pour le logement des
ecclésiastiques qui desserviraient et pour les greffes et les
greffiers chargés de tenir et de conserver les registres.

Au milieu du fond de la partie concave est placée l'entrée
d'un vestibule qui répond à une grande nef destinée aux
cérémonies royales, laquelle est elle-même terminée
par un grand monument circulaire destiné à réunir les
tombeaux de tous nos rois. Les sépultures des grands
hommes seraient placées à l'extérieur, dans des allées
de cyprès et de peupliers qui entoureraient ce monument.

Une enceinte beaucoup plus vaste, formée par d'autres
allées, offrirait des emplacements à ceux qui voudraient
acquérir le droit d'y élever des tombeaux. Au delà seraient des terrains vastes pour y ouvrir successivement
treize grandes fosses publiques, pour tous ceux qui
n'auraient pas acquis le droit de sépulture particulière,
et enfin il y aurait autour de la dernière enceinte
deux mille chapelles à concéder aux familles nobles ou
riches.

Ces dispositions générales, dont l'ensemble fait honneur
aux talents de M. Delabrière, ne laissent presque rien à
désirer.

Cependant on regrette que les deux corps de bâtiments
latéraux, vers l'entrée principale, ne soient pas décorés
d'un genre qui tienne plus du caractère sépulcral; que
les galeries de distribution ne soient pas mieux percées
et plus correspondantes, et qu'enfin, le monument principal, engagé dans les cyprès et les peupliers, ne soit pas

isolé; car, ce n'est pas ici le lieu d'amuser par le pittoresque de l'art et de la nature, mais celui de stupéfier par
la sévérité du caractère et par l'étendue, le calme et la
solidité des bases de l'édifice.

Les avantages qui résulteraient de l'exécution de ce projet
seraient, selon l'auteur :

1° La salubrité de l'air à Paris; les enterrements se feraient
comme à l'ordinaire; chaque mort serait présenté et dé-
posé à sa paroisse; et toutes les nuits, des corbillards,
établis à cet usage, les transporteraient dans la sépulture publique, à moins que les familles ne voulussent se
charger du convoi;

2° Un chartrier qui servirait de dépôt pour les titres de
famille;

3° Enfin, un grand objet d'émulation pour les vertus et les
talents en tous genres, tant par la récompense qu'ils y
trouveraient, comme à Westminster, que par la multitude de chefs-d'œuvre des arts auxquels donneraient
lieu ces différents monuments élevés pour perpétuer la
mémoire des grands hommes.

L'auteur, qui évalue à douze millions la dépense de l'établissement de ces tombeaux publics, propose pour y
pourvoir, comme le moyen le moins sensiblement oné-
reux au public, la taxe d'un sol pour livre sur la capita-
tion de Paris, pendant douze ans; ce qui produirait
5,400,000 liv.; la vente de 4,000 sépultures particulières à 750 liv., 3,000,000 de liv.

L'auteur, supposant enfin la sécularisation des Bénédictins,
porte encore en ordre de moyens les matériaux immenses
que produirait la démolition de l'église et du monas-
tère de l'abbaye de Saint-Denis. Il n'appartient sans
doute qu'à l'administration de prononcer sur la possi-
bilité de mettre un impôt léger pendant un temps assez
court, et pour un établissement aussi nécessaire, mais
on ne peut s'empêcher de témoigner son étonnement,
lorsqu'on voit l'auteur proposer de démolir la porte

Saint-Denis et la fontaine des Innocents. S'il est vrai
que des artistes oublient chaque jour leurs véritables
intérêts au point de conseiller la destruction de ces
monuments qui ont acquis des droits au respect, soit
par leur destination, soit par leur beauté propre et leur
ancienneté, quel citoyen osera réclamer contre cette
barbarie? Au reste, la spéculation de l'auteur qui a fait
naître cette observation, n'étant qu'accessoire à son
projet, ne peut rien diminuer du mérite de ses plans.

54.  DELACROIX (*Charles F.*), peintre de marines et de paysages,
était élève de Joseph Vernet; on n'est pas d'accord sur le
lieu de sa naissance; on le fait naître tantôt à Paris,
tantôt à Avignon, d'autres à Marseille; à quelle époque? on
l'ignore aussi. Il travaillait à Rome en 1754, où il était
connu sous le nom de *Della Croce;* il a figuré en 1776 à
l'exposition du Colisée; les Musées de Rouen, d'Angers,
de Dijon, d'Auch, de Montauban, d'Orléans, de Toulouse
et de Toulon, ceux de l'Ermitage et de Stockholm
possèdent de ses ouvrages. On n'était pas fixé sur le lieu
et la date de sa mort : La Blancherie nous apprend qu'elle
eut lieu à Berlin en novembre 1782.

### 1780.

*Marine avec personnages.* (H. 2 pi. 1 2. L. 3 pi. 1/2 )
*Marine avec vue d'un fanal et de figures.* (H. 2 pi., 2 po. L. 3 pi. ; du
cabinet de M. le chevalier de Chatillon; restauré par le procédé de Madame Vincent de Montpetit.) *Vue du château St-Ange à Rome.* (H. 3 pi.
L. 6 pi. ; précédemment exposée au Colisée.) — *Vue du mont Vésuve,
paysage avec eau.*

### 1782.

*Deux marines avec architecture.* — *Marine représentant un naufrage.*

55.  DELAGARDETTE (*Pierre-Claude*), marchand d'estampes et
graveur, né en 1745, mort à Paris, rue du Roule,
en 1780; J.-D. Dugoure a gravé d'après lui.

### 1781.

Dessin représentant la *Vue de la bibliothèque Sainte-Geneviève;* il a lui-même gravé ce dessin en 1775 et l'a dédié à M. Raymond Revoire, abbé de Sainte-Geneviève.

56. De Lépine, sculpteur, rue Neuve Saint-Eustache, près la rue Montmartre.

1782.

*Buste en plâtre de l'archevêque de Paris.*

57. Demachy (*Pierre-Antoine*), peintre et graveur, né à Paris en 1723, mort à Paris, au Louvre, le 10 septembre 1807; veuf de Louise Quest, élève de Servandoni, reçu académicien le 30 septembre 1758, nommé conseiller le 23 novembre 1775 et professeur de perspective à l'Académie le 1er avril 1786; il a été gravé par son fils, par Basan, Jeaninet et Descourtis; on lui doit quelques planches gravées en manière de lavis; il a pris part aux Salons de 1757, 1759, 1761, 1763, 1765, 1767, 1771, 1773, 1775, 1777, 1781, 1783, 1785, 1787, 1791, 1793, 1795, 1798, 1801 et 1802. On voit de ses œuvres au Louvre, à Versailles et aux Musées de Rouen, de l'Ermitage, de Valenciennes.

SALON DE LA CORRESPONDANCE. 1783.

*Deux vues de Paris,* l'une prise en face de l'hôtel des Monnaies, l'autre en face du Pont-Royal et de la galerie du Louvre (du cabinet de M. de Thélusson, capitaine de dragons).

58. Demarne (*Jean-Louis*), dit Demarnette, peintre et graveur à l'eau-forte, fut élève de Briard; il naquit à Bruxelles le 7 mars 1744 et mourut aux Batignolles (Seine) le 24 mars 1829; il fut agréé le 29 mars 1785 à l'Académie royale de peinture, sur un *paysage avec animaux;* mais il ne devint pas académicien; il obtint des médailles d'or en 1806 et 1819, et fut fait chevalier de la Légion d'honneur en 1828. Il a figuré en 1779 à l'exposition de la place Dauphine et aux expositions de 1783, 1785, 1787, 1789, 1793, 1795, 1796, 1798, 1799, 1800, 1801, 1802, 1804, 1806, 1808, 1810, 1812, 1814,

1817, 1819, 1822, 1824, 1827 et 1830 (au Luxembourg, posthume); on voit de ses ouvrages aux Musées du Louvre, de Cherbourg, d'Orléans, de Bourg, d'Angers, de Grenoble, de Montpellier; on rencontre également un grand nombre de ses tableaux en Russie. Demarne a été gravé par Beaujean, A. Pilinski, Morret, P.-M. Alix Parboni; il a été lithographié par G. Engelmann, Delpech et J. Bonnemaison; lui-même enfin a gravé bon nombre de ses œuvres à l'eau-forte. Devouge fils a exposé le portrait de Demarne en 1796.

### 1783.

*Deux vues des Pays-Bas, avec figures et animaux* (du cabinet de M. Gallo de L'Ormerie, gentilhomme de Mgr le comte d'Artois). — *Deux paysages avec figures et animaux* (du cabinet de M. Girardot de Marigny).

### 1785.

*Vue d'une forge à Salm,* avec figures d'hommes et d'animaux.

### 1786.

*Paysage* (cabinet de M. Bazan).

59. DESCARSIN (*Remi-Furcy*), peintre, élève de l'Académie royale de peinture et sculpture; il avait épousé Marie-Ève Kaigre; ses sœurs, bonnes musiciennes, firent leurs débuts sur la harpe au Salon de la Correspondance; Descarsin présenta son portrait peint par lui-même à l'Académie royale de peinture, le 25 avril 1789, pour y être agréé, mais il fut refusé.

### 1785.

*Portrait du maréchal d'Harcourt,* représenté en tenue d'officier général dans l'attitude du commandement. (Il réexposa cette toile en 1785.) — *Petite marchande de bouquets.* — *Portrait de M. Raffeneau, notaire à Lille.*

### 1787.

*Portrait de M. Nivard, peintre du roi.*

60. DESEINE. Sculpteur, sourd-muet de naissance, élève de Pajou; il a exposé au Louvre en 1791 et 1793; à cette

dernière époque, il demeurait rue de Provence, aux écuries d'Orléans; nous ignorons s'il était parent du sculpteur Louis-Pierre Deseine, mort en 1822; nous connaissons du sourd-muet une pièce imprimée dont voici le titre : Adresse à l'assemblée nationale (signé Deseine).— Paris, imp. de l'institution des sourds-muets près l'Arsenal (s. d.), in-8° de 5 pages : il offre d'exécuter en grand le buste de l'abbé Sicard; on trouve joint à cette pétition un certificat qui constate la parfaite ressemblance du petit buste primitif exécuté par l'artiste.

### 1782.

Figure représentant l'Amitié (plâtre); — figure représentant *un Enfant donnant la volée à un moineau* (terre cuite); — *buste de M. le baron de Bezenval* (plâtre); — *buste de M. le comte de Ségur* (terre cuite); — *buste de M. le comte d'Argental* (plâtre).

61. Desmaisons (peintre et graveur) travaillait de 1780 à 1834. Il a gravé la scène du Déluge d'après Girodet, plusieurs planches pour les Antiquités nationales de Millin, et pour le Voyage pittoresque à Constantinople de Cassas.

### 1779.

*Une Bacchante.* — *Un Faune pressant du raisin dans une coupe.* — *Vieillard conduit par un enfant* (huile. H. 4 pi. L. 5 pi.).— *Minerve et Neptune se disputant à qui donnera un nom à la ville d'Athènes* (dessin à la plume et au bistre. H. 1 pi. 8 po. L. 1 pi. 4 po.) — *Denys le tyran fait suspendre une épée à un crin de cheval au-dessus de la tête d'un courtisan, en même temps que tous s'empressent de lui faire goûter les plaisirs de la vie* (Dessin à la plume et au bistre. H. 1 pi. 4 po. L. 1 pi.9 po.; a été gravé par l'auteur en 1806, petit in-8.)

62. Desoria (*Jean-Baptiste-François*), peintre d'histoire, élève de Restout fils, est né à Paris; il a remporté, le premier, le prix de la demi-figure peinte, fondé par de Latour. A son retour d'Italie, il professa le dessin au lycée d'Evreux, à celui de Rouen, puis à celui de Metz.

On voit de ses tableaux à la bibliothèque de Cambrai, au musée de Rouen, dans les églises de Rodez et de Nantes. Il reçut, au Salon de 1810, une médaille d'or. Ses amis, touchés du dénûment dans lequel ils le voyaient sur ses vieux jours, lui firent obtenir la place de directeur de l'Académie de Cambrai. Il était entré en fonctions depuis six mois à peine, lorsqu'il fut emporté, après une maladie de quelques jours, le 21 novembre 1832, dans un âge très-avancé. Desoria a pris part aux salons de 1791, 1793, 1795, 1796, 1798, 1799, 1801, 1802, 1806, 1808, 1810, 1812, 1814, 1817, 1819 et 1822.

SALON DE LA CORRESPONDANCE. 1782.

*Portrait de M. d'Arnaud fils, — Tête d'après Greuze, — Ariane consolée par Bacchus de la fuite de Thésée, — Alphée vient mêler ses eaux à celles d'Aréthuse à la faveur d'un sommeil procuré par l'Amour, — Portrait d'un écolier ayant son carton sous son bras.*

DESTOURS, demoiselle, voyez : DUCHATEAU, madame.

63. DIHL, modeleur palatin, vieille rue du Temple, au coin de la rue Barbette.

1779.

*Deux vases avec plusieurs espèces de fleurs.* (H. 19 po.)

64. DROLLING (*Martin*) père, qu'on a souvent appelé DRELLING, naquit à Ober-Bergheim (Haut-Rhin) en 1752 et mourut à Paris en 1817 ; il n'eut pas de maître et se forma par l'étude des artistes hollandais ; chacun connaît ses sujets d'intérieur, mais sur l'homme on ne possède pas de renseignements. Ses œuvres ont été gravées et lithographiées par F. Noël, Langlumé, Ch. Charles, Tassaert, Leroy, Muller, Normand fils, Peringer, Roemhild, J. Porcher et P. L. Debucour. En 1789, il exposa avec la *Jeunesse*, dans la salle Lebrun, le portrait de M. de Boisgelin, car ce fut là qu'eut lieu pour la dernière fois l'ancienne exhibition de la place Dauphine. Il a pris part

aux salons de 1793, 1795, 1798, 1800, 1801, 1802, 1804, 1806, 1808, 1810, 1812, 1814 et 1817 ; on voit de ses œuvres aux musées du Louvre, de Lyon et d'Orléans. — Son fils, Michel-Martin, membre de l'Institut, est mort à Paris le 7 janvier 1851.

### 1781.

*Une jeune villageoise faisant son ménage,* — *une jeune villageoise dans la douleur.* (H. 9 po. L. 8 po.)

### 1782.

*Tête de femme allemande.* (Portrait de la mère de l'artiste.) — *Intérieur d'un ménage de campagne.* Un père vient de frapper et de jeter par terre un petit garçon, son enfant ; la grand'maman se met entre eux afin qu'il ne le touche pas davantage. La maman sollicite aussi pour calmer son mari ; un petit frère témoigne une grande peur, et une petite sœur, derrière une porte entr'ouverte, s'alarme du bruit qu'elle vient d'entendre.

65. DUBOIS (*Frédéric*), peintre, a exposé au Louvre en 1796, 1798, 1799, 1800, 1801, 1802 et 1804.

#### SALON DE LA CORRESPONDANCE. 1780.

*Portrait du jeune prince de Craon.* (H. 19 po. L. 16 po.)

66. DUCHATEAU (M^me), P., élève de J. Vernet, a exposé au Salon de la Correspondance, de 1779 à 1782, sous son nom de demoiselle, DESTOURS ; elle habitait alors rue des Bourdonnais, maison de M. Doré. Elle a pris part aux Salons de 1791 et 1793 ; sa demeure avait été transférée rue des Deux-Boules-Sainte-Opportune, n° 6 : c'est tout ce que nous avons pu recueillir sur son compte.

### 1779.

2 dessins lavés à l'encre de Chine, *des Ruines, une Marine.* — 2 *vues des environs de Sèvres.* (H. 15 po. L. 15 po.) — *Paysage avec architecture.* H. 11 po. L. 17 po.) — 5 *dessins, Ruines et paysages.*

### 1780.

*Paysage.*

### 1781.

2 *paysages*. — 2 gouaches représentant *les Débris de l'Opéra après l'incendie*. — *Vue de la maison abbatiale de Saint-Victor, prise du côté du jardin.*

### 1782.

*Vache dans une étable* (huile). — *Chat angora* (huile). — *Vue de la manufacture de Sèvres* (gouache).

### 1783.

*Paysage avec figures.*

67. DUCREUX (*Joseph*), peintre et graveur, est né à Nancy en 1757 ; il était élève de de Latour, et il mourut subitement, frappé d'apoplexie, le 5 thermidor an x (24 juillet 1802), dans un fossé sur la route de S<sup>t</sup>-Denis à Paris, en allant déjeuner chez son ami Hameau ; il avait épousé Philippine-Rose Cosse, remarquablement belle. Ducreux fut envoyé à Vienne en 1769 par le duc de Choiseul, pour y faire le portrait de l'archiduchesse Marie-Antoinette, que Ch. Duponchel a gravé ; ce portrait lui valut plus tard le titre de *premier peintre de la reine* et celui de *baron* ; il était membre de l'Académie impériale de peinture de Vienne et de celle de S<sup>t</sup>-Luc de Paris, mais il ne fut pas aussi heureux avec l'Académie royale. Le graveur Wille nous apprend, en effet, dans son journal, que Ducreux se présenta pour la *troisième fois* le 18 avril 1787, avec ses pastels et ses tableaux à l'huile, aux suffrages de l'illustre assemblée, mais qu'il fut refusé par le scrutin ; il faudrait attribuer ce refus au caractère de l'artiste, *qui disait et écrivait tant de mal de l'Académie qu'il eût été bien singulier ou bien magnanime, de sa part, de l'admettre dans ses rangs.* Ducreux a figuré aux Salons de 1791, 1793, 1795, 1796, 1798, 1799, 1800 et 1801 ; c'est à tort que plusieurs écrivains ont avancé que Ducreux avait été acteur ; le fait est faux. C.-F. Gaucher, A. Migneret, L.-J. Cathelin ont gravé, d'après l'artiste qui nous occupe, les portraits de C.-A. Demoustiers, homme de lettres ; de E.-F. Lantier ; de La Harpe ;

d'Isabelle-Philippe-Marie-Hélène de France; de Joseph II;
de Marie-Thérèse; lui-même a gravé son portrait à l'eau-
forte, sous les titres suivants : *le Joueur éploré, le Rieur,
le Discret*; M. Prosper de Baudicour a décrit au surplus
ces pièces (tome I, p. 195). On voit de ses œuvres au
Musée du Louvre (dessins) et à celui de Versailles.

### SALON DE LA CORRESPONDANCE. 1781.

*Portrait de M. de La Blancherie* (pastel, réexposé en 1785).

### 1782.

*Portrait de M. Franklin* (pastel).

### 1783.

*Portrait de M^lle de Fel, chanteuse.* « Une touche légère et fine, qui indi-
« que avec peu des plans bien dessinés ; des accessoires faits par méplats
« et dont le brillant s'accorde très-bien avec le ton des chairs, qui sont
« d'une couleur vraie, annoncent dans ce tableau un artiste plein des
« leçons du célèbre Latour et en état de rendre les inspirations d'une
« muse faite pour présider à plus d'un talent. » (La Blancherie.)—Serait-
ce une copie du délicieux portrait crayonné par le peintre de St-Quentin,
sur une feuille de papier gris, que possède le musée de cette ville? L'abbé
de La Porte (*Anecdotes dramatiques*, tome III, p. 190) cite le quatrain
suivant de Panard au sujet de l'aimable chanteuse :

Quelle voix légère et sonore !
Ah ! que vous inspirez de feux !
De Fel, vos doux accents rendent plus tendre encore
L'amour qui brille dans vos yeux.

*Grand tableau représentant un homme vêtu d'une redingote rouge, qui
bâille en se réveillant* (vu à mi-corps). — *Le portrait de l'artiste* (il rit).

### 1785.

*Portrait de M^lle Déon, chevalière de l'ordre royal et militaire de St-Louis*
(gravé par L. J. Cathelin).

M^lle Gabrielle Gendron, arrière-petite-fille du peintre Ducreux, et qui
habite La Varenne, près Vendôme, a bien voulu nous communiquer de
précieux renseignements sur son bisaïeul; elle possède en outre une collection fort importante des œuvres de ce maître qui avait la manie de

garder pour lui les originaux de ses portraits et d'en faire de mauvaises copies qu'il lançait dans le public; c'est un des motifs pour lesquels son nom n'est pas aussi connu qu'il devrait l'être ; nous n'hésitons pas à imprimer les extraits d'un registre entièrement écrit par Ducreux et où il a pris soin de cataloguer son œuvre ; nous conservons son orthographe.

| 1762. | 1763 |
|---|---|
| Louys. | Meulan. |
| St-Chaman. | Pequigni. |
| Valantinoy. | Arnout. |
| Brogli. | Langlois. |
| Gesvres. | La Mote. |
| Buchelay. | Blondelle. |
| Rostain. | Palerme. |
| De Noaille. | Mauville. |
| Courmont. | Le Lièvre. |
| Presle. | La Ragay. |
| De Revilly. | Démassure. |
| De Chabriand | **1764** |
| Beuvron. | Blondel, fils. |
| Mariette. | L'abbé de Vernouillet. |
| Brou. | M. Fougeray. |
| Mondorge. | Mad. de Brou. |
| La Live. | Mad. d'Outremont. |
| Simon. | Mad. de Valentinois. |
| De La Verrière. | M. Blondel, père. |
| De La Roc. | M. de Gagnie. |
| *Chien* Sartine. | M. Nicole. |
| **1765.** | M. de Caumartin. |
| Tacheo. | Le Cte Bienhuisky. |
| Huet. | Mise de La Live. |
| Moutje. | Mad. du Kan. |
| Fréron. | La Csse Mellefer. |
| Charon. | M. de La Bauve. |
| Moutfort. | Le Cte de Housky. |
| La Marche. | Princesse Sapieka. |
| Sénéchal. | Mad. de La Bove. |
| Marquet. | M. le grand vicaire. |
| Caylus. | M. de Bouillon. |
| Jaucour. | **1765.** |
| Monto. | M. de La Live. |
| Moge. | Mlle Fontenelle. |
| Balleroy. | Mad. de St-Fargeau |

1765

Le Mis de L'aage.
Mad. Desfontaines.
Lady Mintz.
Prince d'Anhalt.
M. de Neubourg.
Mad. de Moras.
M. de Bassecour.
Mad. de La Reynière.
M. Terray.
Mad. de Boulogne.
M. de La Borde.
Mad. de Blossac.
Mad. de Montgrand.
Mis de Lesquire.
M. de St-Fargaux.
Mlle Fontenelle.
L'ambassadeur d'Angleterre.
Mad. de Meulan.
Mad. de Grandmaison.
M. de Bretignières.
Mad. des Four.
Mad. de Bontemps.
Mad. de La Bove.
M. de Pont.
M. de Vallier.
Mad. la Csse de La Mark.
M. le marquis de Nieulle.
La Mse de Nieulle.
Marquise de Morfontaine.
M. de Meulan.
Le marquis de Fitz-James.
M. de Marignie.
M. de Lucé.
Mlle Crémille.
L'abbé de Blacoz.
La princesse de Chimay.
M. Joly.
M. de Minute.
M. Coypel.
M. de La Gallission.
Le Mis de Lescoët.
Le Cte de Voüault.

1767.

Csse d'Avack.

1767

Le Mis de Trans.
Mad. de Fourvielle.
M. de La Rochefoucault.
Csse de Trézé.
Mad. Denis.
La princesse de Ligne.
Duchesse d'Aremberg.
Prince de Robecq.
Comtesse de Durfort.
Cte d'Ursel.
Csse de Latour du Pin.
Mad. Joly.
Csse de L'Aigle.
Mise de St-George.
Comtesse de Rieux.
M. Cabaret.
L'abbé de Nicolaï.
Le Cte de Noaille.
Princesse de Poix.
Mis de Montboissier.
Csse de La Suze.
Mise de Traus.
M. de Boulogne.
M. Chardin.
M. de La Touche.

1768.

Mise de Belzunce.
La duchesse de Beauvillier.
M. Rousseau.
Mad. de Cussé.
Mise de Castries.
Le Cte de Mailly.
M. de Cussé.

1769.

Princesse Zatoriska.
Mad. de Meulan.
Princesse de Poix.
M. de La Porte.
Mad. de Belzunce.
M. de Tavane.
Mad. de Gabriac.

1770.

Mad. Desfontaines.
M. de La Bove.

## 1770

Mad. la C<sup>sse</sup> de Polignac.
M. Decaze.
M. de Chalon.
C<sup>sse</sup> de Laval.
Mesdames de France.
Mad. de Lostange.
Mad. la C<sup>sse</sup> de Boisgelin.
M. de Mailly.

## 1771.

M. de La Ferté.
M. le comte de Provence.
Mad. de Castrie.
M. de S<sup>t</sup>-Mégrin.
M. de Pierrefitte.
C<sup>te</sup> de Pont.
Princesse de Guéménée.

## 1772.

M<sup>ise</sup> d'Hautefeuille.
C<sup>sse</sup> Jules de Polignac.
M. de Vaux.
Mad. de Tavane.
Princesse de Montbazon.
M. de Boulogne.
M. de Grammont.
M. de Mailly.

## 1773.

M. de Meulan.
Mad. Bonart.
C<sup>sse</sup> de Mailly.
Duchesse de la Vauguyon.
M. de Caumartin.
C<sup>sse</sup> de Seignelay.
M<sup>ise</sup> de Barbantane.
M. de Grammont.
Mad. de Blot.
M. de Montbron.

## 1774.

C<sup>te</sup> d'Artois.
C<sup>te</sup> de Candolle.
C<sup>sse</sup> de Durfort.
M. de La Marche.
M. Rudgiéry.

## 1774.

M. de S<sup>t</sup>-Croix.
M. de La Pallu.
M. de Chantemesle, le petit.
M. de Blot.
M. de La Ferté.
M. de Bellecambe.

## 1775.

M. de Toulongeon.
M<sup>ise</sup> de S<sup>te</sup>-Croix.
M<sup>ise</sup> de Clermont.
M<sup>is</sup> de S<sup>te</sup>-Croix.
Mad. Clotilde (2 portr.).
M. de Pezay.
M. de la Porte.
M. le duc d'Angoulême.
Mad. Clotilde (miniature).
M. Marchand, pour la princesse de
    Guéménée.
Mad. de S<sup>t</sup>-Souplé pour Mad. Clo-
    tilde.
M. Jaume, pour Monsieur.

## 1776.

Mad. Victoire.
M. de Castrie.
Mad. d'Artois.
Mad. Victoire.
Monsieur.
C<sup>sse</sup> d'Artois.
Mad. de Fitz-James.
Mad. Adélaïde.
Madame.
Madame de La Suze.

## 1777.

Mad. Victoire.
M. d'Angoulême.
M. de Rohan.
Mad. Sophie.
Madame.
Mesdemoiselles.

## 1778.

M. de Larochefoucault.
Mad. d'Artois.

1778.

M. de Boisgelin.
Mad. de Lamballe.
Mad. d'Artois.
Mad. Elisabeth (5 portraits)
Madame de Lamballe, deux fois.
Madame.

1779.

L'abbé de Boismont.
M. d'Artois.
La Reine (chez M^lle Gendron).
Mad. Elisabeth.
Mad. de Lamballe.
M. d'Artois, pour M. Duchâteau.
M. du Châtel.
M. de Miramont.
Mad. Victoire.

1780.

C^sse d'Artois.
C^sse de La Mark.
M. de Meulan.
M. de Couvré la Novay.
M. d'Artois.
Mad. Clotilde.
M. d'Artois (deux fois).
La reine (chez M^lle Gendron).

1781.

M. Turgot.
M. d'Artois.
M. de Beauvillier.
M. d'Artois.

1782.

Prince d'Hennin.
Duchesse de Villeroy.
M. Toulongeon, pour mad. de Mont-
    giraud.

1783.

La reine.

1784.

M. le dauphin.
Mad. Royale.
Le C^te de Durfort.

—

1785.

Le duc de Chaulnes.
Monsieur.
La reine.

1795.

Le neveu de Clarke.
Laveau (chez M. Mary-Laveau, de la
    bibliothèque impériale de Pa-
    ris, son petit-fils).
Lebrun.
Méhul (chez son petit-neveu, M.
    Daussoigne-Méhul, à Liége).
Boissy (expression).
Boissy (étude).
Mad. Bourgoin.
La Surprise gaie (étude).
Toulongeon (étude).
Mon portrait en cheveux, étude
    (chez M^lle Gendron).
Mon portrait en perruque, étude
    (chez M^lle Gendron).
Dumoutier.
Mon ami le général Clarke (chez
    M^lle Gendron).
Mad. Bernard, mère de mad. Ré-
    camier (chez M^lle Gendron).
Le général Ernouf.
Le citoyen Shée.
Citoyenne d'Entrague.
Dusseaux.
Dupont de Nemours.
Les petits Larochefoucault.
Citoyen Lescalier, intendant de l'Inde
    (M^lle Gendron).
Étude du petit Larochefoucault.
Étude de la mère.
Mad. Duquesnoy (M^lle Gendron).
Étude de Clémence.
Antoinette Ducreux (M^lle Gendron).
Miss Dear.
Étude de la petite Bobière.
Étude de la petite Audouin.
Étude de moi (M^lle Gendron).

1795.

| | |
|---|---|
| Étude de la petite Arnoux, fille de Sophie Arnoux et du comte de Lauraguais (M<sup>lle</sup> Gendron). | Picard. |
| | M. Sévrier. |
| | M. Osmont à Caen. |
| Le général Harty. | M. Giroux. |
| Étude de ma femme (M<sup>lle</sup> Gendron). | La tête de mad. Récamier. |
| Bitaubé. | Lalande (au Musée de Versailles). |
| M. Harty et ses deux enfants. | L'évêque de Liége Zoepffel. |
| Le contre-amiral Lacrosse (M<sup>lle</sup> Gendron). | Dumoustier. |
| | Hameau. |
| L'amiral Lacrosse (à Paris, chez M. Lacrosse, ancien ministre). | Pinaud de Blay. — Mad. Silva de la Chaboissière. —Un chien, par ma fille. — Un portrait de Ducreux, pour Charles Rey, marchand de couleurs. |
| Une étude de Buonaparte. | |
| Le cousin Jacques (Beffroy de Règny). | |
| Étude du général Clarke. | |

Mademoiselle Gabrielle Gendron nous a encore donné les indications suivantes : un portrait de madame de La Porte se trouve au château de Meslay, chez M. de Lavau, près Vendôme ; un portrait de Clémence-Antoinette Ducreux, à l'huile, représentée en robe blanche, doit exister dans la famille du général Rémond, à Paris ; un très-beau portrait de Saint-Just est dans la famille Lebas, à Paris, ou chez les Duplcix, famille de la fiancée de Robespierre ; David a fait son médaillon d'après ce portrait ; nous avons l'intention de consacrer ultérieurement une étude spéciale au baron Joseph Ducreux, au point de vue artistique : aujourd'hui nous nous bornons à prendre date. Ducreux a joué aussi un rôle politique ; ses relations étaient considérables ; il a peint la cour d'Allemagne, celle d'Angleterre, celle de France ; il a connu tous les personnages marquants de son époque, dans tous les rangs ; les documents qu'il a laissés sont bien précieux pour l'historien, et nous sommes heureux de savoir qu'ils seront prochainement utilisés par une plume des plus compétentes ; disons pour terminer que l'élève de de Latour *avait le caractère le plus irascible du monde, qu'il était toujours en colère ; le personnage de l'Irato de Méhul est son portrait ; dans le premier ou le second acte, l'acteur doit se frapper la poitrine en s'écriant : c'est Du Creux, Du Creux* (1)! Joseph Ducreux a eu plusieurs enfants ; sa fille aînée s'appelait Rose ; nous lui consacrons un article plus bas, car elle a figuré au Salon de la correspondance ; *son fils aîné, Jules, était peintre de batailles, capitaine d'infanterie à vingt-six ans,*

(1) La Varenne, 8 janvier 1862 ; les passages en italique sont empruntés à la même lettre.

*et attaché à Dumouriez en qualité d'officier historiographe de l'armée ; le gé-*
*néral en chef en faisait le plus grand cas ; son caractère, d'une douceur an-*
*gélique, sa charmante figure, son talent comme peintre, son travail assidu,*
*ses vastes connaissances faisaient espérer pour lui un brillant avenir, lors-*
*qu'il mourut des suites des fatigues de la bataille de Jemmapes. Dumouriez*
*lui donna le sabre qu'il portait à cette bataille même. Ses plans, ses travaux,*
*ses dessins sont aux archives du ministère de la guerre. Son autre fils,*
*Léon, était soldat d'ordonnance sous les ordres immédiats de son frère ; il*
*peignit les fleurs ; il était filleul du duc et de la duchesse de Feltre ; il*
*mourut de langueur, à Strasbourg, chez sa marraine, épuisé par les fa-*
*tigues de la guerre. Son dernier fils, Adrien, élève de son père et de Greuze,*
*mourut à seize ans : il annonçait les plus heureuses dispositions pour la*
*peinture. Une seule enfant a survécu à Joseph Ducreux, Antoinette-Clé-*
*mence Ducreux, filleule de la reine Marie-Antoinette ; elle était remarqua-*
*blement jolie, remarquablement aimable ; elle peignit les fleurs, la minia-*
*ture et le portrait au pastel ; elle a servi de modèle à Greuze à l'âge de*
*15 ans pour l'Accordée de village, qui est tout simplement son portrait.* Elle
épousa son cousin germain, M. Maignan Ducreux, filleul du duc d'Orléans ; c'est la grand'mère de M^lle Gendron, que nous remercions sincère-
ment ici des notes qu'elle a bien voulu nous confier.

68. Ducreux (*Rose*), fille aînée du précédent et son élève ; elle
épousa M. de Montgiraud, préfet maritime de Saint-Domingue et mourut sans postérité du *vomito negro*, le
1^er thermidor an x (26 juillet 1802). Rose Ducreux a
peint la miniature, et nous la voyons figurer aux Salons
du Louvre en 1791, 1793, 1795, 1798 et 1799. Elle
était très-bonne musicienne et très-liée avec Méhul ; elle
composa presque toute la partition de l'*Irato*, *sauf le
quatuor*, écrit chez elle, par Méhul, sur le coin du premier piano à queue de Sébastien Erard, ami de sa famille (1). M^lle Gabrielle Gendron possède le portrait de
Rose Ducreux, en pied, peint par David, ami de la
famille ; la jeune fille y est représentée jouant une sonate
de Dussek ; madame de Mirbel a reproduit en miniature cette peinture remarquable.

(1) La Varenne, 8 janvier 1862.

*Portrait de l'artiste* (au pastel ; elle prend de la couleur sur sa palette au moment de peindre).

69. DUMONT (*Gabriel-Pierre-Martin*), professeur d'architecture, membre des Académies de Saint-Luc de Rome, de Florence, de Boulogne et de Saint-Luc de Paris, né dans cette dernière ville vers 1720 ; De La Marquade a gravé d'après cet architecte une vue et un plan de l'Observatoire. Dumont a pris part aux expositions de l'Académie de Saint-Luc de Paris en 1764 et en 1774 ; il n'a pas figuré à celles du Louvre ; il vivait encore en 1790, dit M. Weiss dans la *Biographie Michaud.* (*Suppl.* 1857.) — On connaît fort peu de chose sur la vie de Dumont, qui demeura longues années en Italie. Aussi, nous n'hésitons pas à réimprimer un document d'une excessive rareté (placard in-4° gravé) qui donnera une idée des travaux de l'artiste qui nous occupe.

**Catalogue de l'œuvre des gravures d'architecture de DUMONT, architecte à Paris, rue des Arcis, maison du commissaire.**

Savoir :

90 exemplaires d'études sur la basilique de Saint-Pierre de Rome, au nombre de cent feuilles in-folio, du prix de 56 livres, broché ; 45 livres, relié.

Un grand plan du palais du Vatican où se tient le conclave et tel qu'il fut établi en 1775, avec les principaux détails qui lui sont relatifs, du prix de 1 livre 4 sous, broché ; 1 livre 4 sous relié.

Le plan géométral et la vue perspective de l'intérieur de la nouvelle église de Sainte-Geneviève de Paris, avec la façade d'entrée d'après les dessins de M. Soufflot, du prix de 5 livres broché ; 5 livres relié.

Le tout avec privilége du Roy du mois de novembre 1775,
88 livres 4 sous ; 106 livres 4 sous.

Plus un projet de façade pour un hôtel de ville composé et
mis au jour par M. Dumont en 1776, prix 1 livre 4 sous.

### SALON DE LA CORRESPONDANCE. 1782.

Six dessins offrant l'*élévation, la coupe et le plan d'une salle d'opéra
projetée près le guichet de Marigny*. (Le théâtre de l'Opéra ayant été
consumé par un incendie, le 8 juin 1781. « tous les architectes — dit
M. Castil-Blaze, — s'évertuèrent à donner des plans d'un théâtre monu-
mental et digne en tout de la ville de Paris...) »

« *Académie Impériale de musique*, » tome I, p. 419, 424, etc.

Nous ajouterons que Dumont est le premier qui ait fait connaître et
qui ait représenté, en sept planches d'abord (1764), les ruines de Pœstum ;
il exécuta plus tard vingt et une nouvelles planches, pour l'édition
publiée à Londres (1768) par le graveur anglais Thom. Major, et que
Jacques de Varennes a traduite en français.

70. ENGRAMELLE (*Marie-Dominique-Joseph*) a été tout à la fois
dessinateur, graveur, naturaliste, musicien et mécanicien. Il appartenait à la communauté des Petits-Augus-
tins de la reine Marguerite, qui occupait, à cette époque,
au faubourg Saint-Germain, les bâtiments où l'on voit
aujourd'hui l'hôpital de la Charité. Engramelle est un
personnage intéressant à étudier ; il a rendu d'incontestables services à diverses branches de l'art, de la science
et de l'industrie. Nous lui devons, à ce titre, une part
d'autant plus grande, que ses contemporains ont accepté
le produit de ses veilles, qu'ils ont utilisé ses découvertes, mais qu'ils ont oublié de laisser, sur le compte de
leur bienfaiteur, des renseignements biographiques. La
vie d'Engramelle, nous le constatons avec regret, n'a
pas été écrite ; le sera-t-elle jamais ? Nous posons quelques jalons pour son biographe futur. Engramelle est né
dans le département du Pas-de-Calais, le 24 mars 1727,
à Nédonchel, et non pas à Nédonchal. Où et quand

est-il mort? A Paris, en 1780, répondent les biographes.
M. Fétis seul, dans sa *Biographie universelle des Musiciens*, fait mourir le religieux en 1781; M. Fétis, il
est vrai, ne cite aucune autorité à l'appui de son asser-
tion. Nos recherches, tant dans les archives de l'hôtel
de ville que dans celles du tribunal de la Seine, pour
découvrir l'acte de décès du père Augustin, ont été
vaines. Le savant M. Anders, de la Bibliothèque impériale, a bien voulu se charger du père Engramelle en ce
qui touche la partie musicale. C'est une bonne fortune
que nos lecteurs apprécieront; c'est aussi pour nous une
occasion de témoigner à M. Anders notre gratitude pour
cette nouvelle preuve de bienveillance :

« En 1775, Engramelle publia un livre intitulé « *La Tono-
« technie, ou l'Art de noter les cylindres et tout ce qui
« est susceptible de notage dans les instruments de con-
« certs mécaniques,* » ouvrage important où cet art,
« jusqu'alors tenu secret par les luthiers, était pour
« la première fois traité à fond, et qui est encore au-
« jourd'hui ce qu'il y a de plus complet sur cette ma-
« tière. Le notage des cylindres lui fit naître l'idée d'un
« mécanisme applicable au clavecin, et au moyen du-
« quel les improvisations ou tout morceau joué sur le
« clavier devaient se noter instantanément. Des essais de
« ce genre avaient été faits avant lui, mais sans résultat
« suffisant. S'il faut en croire une anecdote rapportée
« par Laborde dans son *Essai sur la musique* (t. III,
« p. 622), reproduite par Fayolle dans son *Diction-
« naire historique des Musiciens* (tome Iᵉʳ, p. 207),
« Engramelle aurait parfaitement réussi. Toutefois,
« M. Fétis, dans sa *Biographie universelle des Mu-
« siciens* (tome IV, p. 52), en transcrivant également
« le passage de Laborde, fait suivre ce récit de quelques
« doutes assez fondés sur la vraisemblance de cette his-
« toire. Quoi qu'il en soit, l'idée d'un pareil mécanisme
« a occupé à diverses époques plusieurs mécaniciens et

« facteurs de pianos. On peut voir à ce sujet la *Gazette*
« *musicale de Paris* (année 1844, n° 30), où j'ai passé
« en revue les divers essais de ce genre, depuis celui
« de l'Anglais Creed, qui fut le premier, en 1747, jus-
« qu'au pianographe de M. Guérin, qui figura à l'expo-
« sition des produits de l'industrie en 1841.

« Parmi les travaux du Père Engramelle relatifs à la mu-
« sique, il faut mentionner encore ses recherches pour
« obtenir l'accord le plus parfait des instruments à cla-
« vier. Ayant imaginé, à cet effet, un appareil destiné à
« la division géométrique des sons, il l'exposa, en 1779,
« dans les Salons de La Blancherie, qui en inséra la
« description dans son journal *Nouvelles de la répu-*
« *blique des lettres et des arts* (année 1779, n° 12,
« p. 83), où, en même temps, on renvoie, pour plus de
« détails, à une espèce de traité que le père Engramelle
« se proposait de publier au sujet de sa découverte. Ce
« traité n'a pas paru ; mais il est possible que le ma-
« nuscrit en ait servi pour la notice insérée quelques
« années plus tard dans le même journal, lorsque l'ap-
« pareil d'Engramelle fut exposé de nouveau dans les
« Salons de la Correspondance. (Voyez le numéro du
« 30 mars 1786.)

« Comme il le dit lui-même dans sa Tonotechnie, Engra-
« melle préparait, en outre, un ouvrage sur la facture
« des instruments, dans lequel il se proposait de traiter
« de l'application des cylindres à toutes sortes d'instru-
« ments, et de faire part aux artistes de plusieurs dé-
« couvertes intéressantes. Il est à regretter que cet
« ouvrage, s'il a été fait, n'ait pas vu le jour.

« Tous les arts avaient des attraits pour le savant reli-
« gieux. S'étant occupé de peinture, il s'exerça aussi à
« la gravure, et toutes les planches qui accompagnent
« sa *Tonotechnie*, même les airs de musique, sont gra-
« vées par lui. »

Engramelle, on le sait, s'est également occupé d'histoire

naturelle; bien que cette science ne soit pas de notre
ressort, nos lecteurs comprendront qu'il est indispensable d'examiner la valeur du religieux sous ce nouveau
point de vue, pour que l'étude que nous lui avons consacrée soit aussi complète que possible. Nous avons consulté sur ce sujet notre frère aîné, ancien président de la
Société entomologique de France ; voici son appréciation :

« Comme naturaliste, Engramelle s'est fait une réputation
« qui lui a survécu, et il a acquis dans l'entomologie,
« devenue de nos jours une véritable science, un rang
« des plus honorables. Le grand ouvrage (1) qu'il a
« publié en 1779 sur les papillons d'Europe, avec le
« concours du peintre Ernst, est très-remarquable pour
« l'époque où il a paru. Toutes les espèces de papillons
« alors connues sont figurées avec soin, et sur les
« planches où sont représentés ces insectes, on voit
« souvent aussi les dessins de leurs premiers états,
« c'est-à-dire les portraits de leurs chenilles et de leurs
« chrysalides. Ernst était chargé de la partie iconogra-
« phique de l'ouvrage. Sa riche collection de papillons
« fournissait à son habile pinceau, comme nous l'ap-
« prend Engramelle, de nombreux matériaux ; pour En-
« gramelle, il s'était réservé la partie la plus difficile,
« celle qui exigeait de nombreuses connaissances et
« l'étude approfondie des ouvrages des naturalistes qui
« avaient écrit avant lui sur la matière. Il décrivait
« avec beaucoup de détails et de précision chaque
« espèce, ajoutant les particularités de mœurs que pou-
« vaient lui fournir et ses propres observations et celles
« qu'il avait puisées dans les excellents ouvrages des
« Réaumur, des Geoffroy, etc. On doit surtout savoir
« gré à Engramelle d'avoir relevé avec soin, en tête des

(1) Les Papillons d'Europe, peints d'après nature par Ernst, gravés sous sa direction (et sous celle de Gigot d'Orcy), décrits par Engramelle (et ensuite par
Carangeot). — Paris, 1779-1793, 29 cahiers gr. in-4°, ornés de 350 figures
coloriées.

« articles consacrés à chaque espèce, les sources biblio-
« graphiques à consulter. L'ouvrage d'Engramelle sur
« les papillons d'Europe, le premier ouvrage spécial de
« ce genre qui ait paru en France, fut accueilli avec
« faveur, non-seulement par les savants, mais encore
« par les gens du monde, les riches désœuvrés de
« l'époque. De hauts personnages voulurent patronner ce
« livre, futile en apparence, dont l'effet immédiat fut
« d'augmenter le nombre des collectionneurs, d'où de-
« vaient, plus tard, sortir les entomologistes.

« Les personnes qui formaient déjà des collections de
« papillons, quand parut l'ouvrage d'Ernst et d'Engra-
« melle, s'empressèrent d'envoyer à ses auteurs les pièces
« de leurs cabinets jusque-là inédites. C'est ainsi qu'on
« doit à Engramelle de connaître de très-intéressantes
« variétés qui, sans lui, auraient été vraisemblablement
« perdues, beaucoup d'entre elles n'ayant jamais été
« retrouvées depuis. C'est pour ce motif que l'histoire
« des papillons d'Engramelle est encore consultée de nos
« jours, et qu'elle est indispensable pour tout lépidopté-
« riste. C'est en citant les personnes qui lui communi-
« quaient leurs raretés, qu'Engramelle nous a appris
« qu'il existait déjà, au dix-huitième siècle, de remar-
« quables collections de papillons, telles que celles de
« MM. Gerning, Gigot d'Orcy, Mallet, etc.

« Terminons cette notice en disant que le révérend père a
« placé en tête de sa publication un discours prélimi-
« naire sur les insectes qu'on lit encore aujourd'hui
« avec fruit; il résume parfaitement les connaissances
« qu'on possédait à cette époque sur ces intéressants
« petits êtres de la création. »

SALON DE LA CORRESPONDANCE. 1779.

*Branche d'abricots portant 45 abricots*, peints d'après nature à la
gonache. (H. 15 po. L. 12 po.)

— *L'Éducation maternelle*, dessin à l'encre de Chine. (H. 1 pi. L. 15 po.)

6

**71.** Favray (le chevalier *Antoine de*); on l'a souvent appelé
Fauray, et on lui a donné le surnom de *Pierre;* nous
proposons d'accepter dorénavant notre version, et nous
donnerons pour ce motif *in extenso* l'acte de naissance
de notre artiste, tel que M. le maire de Bagnolet, près
Paris, nous l'a obligeamment transmis. « L'an mil sept
« cent six, le *neuf* septembre, a été baptisé par moi,
« Loyau, curé soussigné, *Antoine*, né du *jour précé-*
« *dent*, fils de *Claude Fauret* (sic), son père, présent,
« qui a signé, et de Marie Millet, sa femme, demeurant
« en cette paroisse; le parrain, qui est nommé Antoine
« Defontaine, concierge de Monseigneur le duc de
« Quintin, demeurant aux bruyères en cette paroisse qui
« a signé; la marraine, Marie Sanson, qui a aussi signé,
« tous de cette paroisse. » Antoine Favray est donc
bien né à Bagnolet, près Paris, le 8 septembre 1706.
Le prêtre rédacteur de l'acte d'état civil a bien écrit, il
est vrai, *Fauret*, mais le père a signé *Fauray*, et le fils
a toujours signé ses tableaux *A. Favray*. Si l'on veut se
rappeler qu'autrefois l'U était employé indifféremment
pour le V, nous pensons qu'il n'y aura plus à revenir
sur cette question d'orthographe. Favray fut élève de
J.-F. de Troy, le fils; il devint chevalier magistral de
Malte (21 septembre 1751). Il fut reçu à l'Académie
royale de peinture, le 30 octobre 1762, sur un tableau
représentant des *Dames de Malte se rendant visite*
(Louvre). Favray a exposé aux salons de 1765, 1771 et
1779. Son portrait, exécuté par lui-même, se voit à Florence dans la galerie des Uffizi, et l'on trouve de ses
œuvres au Musée de Toulouse. Nous n'insisterons pas
davantage sur cet artiste, dont l'époque et le lieu de la
mort sont inconnus jusqu'à présent.

### SALON DE LA CORRESPONDANCE. 1783.

*Portrait d'une marchande limonadière de Malte* avec costume du pays.
(Peint à l'huile en 1759 et restauré par Mᵐᵉ Vincent de Montpetit; — du
cabinet du chevalier de Châtillon.)

72. FERNANDE, sculpteur du prince Charles, sur le point de partir pour Bruxelles.

### 1779.

*Buste de la reine*, d'après nature. — *Vénus défendant à l'Amour de tirer une flèche.* (H. 20 po. L. 8 po.) — *Deux jeunes filles offrant un sacrifice à l'Amour.* (Bas-relief. H. 14 po. L. 10 po.) — *Portrait du prince Charles.* (H. 1 pi. L. 9 po.) Tous ces objets sont en marbre.

73. FERRIERS, peintre, rue du Hurepoix, chez le limonadier.

### 1781.

*Portrait de la reine.* — *Vue de jeux d'enfants.* — *Marine.* (Dessins à la plume.)

FONTAINES. Voyez SWEBACH.

74. FOUQUET, peintre, chez M. Cadet, rue Pavée Saint-Sauveur. Il a exposé aux salons de 1795 et 1796.

### 1781.

Petit tableau représentant des *Femmes qui boivent.*

75. FRAGONARD (*Jean-Honoré*), peintre et graveur, est né à Grasse en 1732 (et non à Nice en 1733, comme l'ont avancé à tort quelques biographes); il est mort à Paris le 22 août 1806; d'abord clerc de notaire, Fragonard fut ensuite refusé à l'atelier de Boucher, et ce ne fut qu'après qu'il eut pris quelques leçons de Chardin, que le *peintre des fêtes galantes,* mieux inspiré, consentit à recevoir chez lui le jeune artiste qui avait fait chez son collègue des progrès aussi rapides que surprenants. Il remporta au surplus en 1752 le prix de Rome, dont le sujet était *Jéroboam sacrifiant aux idoles;* il fut agréé à l'Académie royale, le 30 mars 1765, sur le tableau de *Callirhoé :* son insouciance l'empêcha de devenir académicien. Le graveur Wille, dans son journal déjà cité, nous a laissé un souvenir de cette réception... « Le « 30 mars, j'allai à l'assemblée de l'Académie royale. « M. Frago ou Fragonard y fut agréé avec applaudisse-

« ments. Il avait exposé aux yeux de la Compagnie un
« très-grand tableau d'histoire qui était très-beau et
« plusieurs paysages bien faits et bien coloriés, comme
« aussi des dessins de diverses manières qui avaient
« bien du mérite. »

Fragonard est trop connu pour que nous nous arrêtions
longtemps sur son compte; M. Villot, dans son « Catalogue de l'École française, » M. Ch. Blanc, dans « l'Histoire des Peintres, » et tout récemment M. de Baudicour,
dans sa « Suite à M. Robert Dumesnil, » ont suffisamment traité la question.

Disons donc que Fragonard a exposé aux salons de 1765 et
de 1767, qu'il a été gravé par Danzel, Flipart, Saint-Non,
Beauvarlet, Halbou, de Launay, Macret, Mathieu, Miger,
Vidal, Ponce, etc., — et par lui-même, — qu'on trouve
de ses œuvres dans bon nombre de Musées, notamment
dans ceux du Louvre, de Nantes, de Bourg, de Besançon
(où on lui donne à tort le prénom de Nicolas).

## 1779.

*Un enfant tenant entre ses bras un chat emmailloté, tandis qu'un autre
enfant se réjouit de l'embarras du pauvre animal.* (H. 3 pi. 6 po. L. 2 pi.
10 po. 6 lig.).

## 1781.

*Une jeune mère de famille vaquant aux soins de ses enfants* (aquarelle
gravée par de Launay, sous le titre de : *La bonne Mère*). Nous en possédons une très-bonne copie contemporaine au pastel. (H. 1 pi. L. 3 po.).

*La Sainte Vierge assise à côté de saint Joseph, recevant les caresses de
l'enfant Jésus, tandis qu'une troupe d'anges prend part à ce spectacle*
(aquarelle H. 1 pi. L. 3 po.).

*Intérieur d'une étable dans laquelle on voit une femme endormie tenant
un chien et un taureau, qui semble étonné et ému de ce spectacle* (sic)
(dessin au bistre sur papier blanc H. 13 po. L. 18 po.).

## 1782.

*Paysage. Un jeune homme, sur un terrain élevé, joue du flageolet auprès
d'une jeune fille qui garde des moutons.*

1785.

*Des Amours dans les nuages jouent et se font des caresses.* (A M. Rémy, peintre.)

76. FRAGONARD (madame, née GÉRARD, *Marie-Anne*), peintre; elle naquit à Grasse en 1745 et mourut à Paris en 1823, âgée de 77 ans; l'aînée de 17 enfants, elle fut appelée à Paris par un de ses oncles qui voulait aider le père à élever une aussi nombreuse famille. Cet oncle ayant reconnu à sa protégée du goût pour le dessin, lui fit donner des leçons par un de ses compatriotes, artiste déjà en réputation et qui n'était autre qu'Honoré Fragonard; ce dernier, appréciant l'intelligence, le bon caractère et la franche gaieté de son élève, demanda sa main et l'obtint. A peine mariée, M^lle Gérard, avec l'assentiment de son mari, recueillit chez elle son plus jeune frère (*Henry*) et la dernière de ses sœurs (*Marguerite*), qui profita plus qu'elle-même des leçons de son beau-frère Fragonard; ces deux artistes n'ayant pas exposé au *Salon de la Correspondance*, ne sont pas, quant à présent, de notre compétence, et nous ne pouvons mieux faire que de renvoyer nos lecteurs aux intéressants articles que leur a consacrés récemment M. de Baudicour dans son « Peintre graveur français. »

Madame Fragonard eut une fille qui offrait les plus belles espérances, mais qu'elle perdit à la fleur de l'âge. Un fils lui restait comme consolation. Ce fut *Alexandre*, peintre, dessinateur et sculpteur (né à Grasse, en octobre 1780, mort à Paris le 10 novembre 1850.) Ce dernier est le père de M. *Théophile* FRAGONARD, peintre attaché à la manufacture de Sèvres et qui a bien voulu nous fournir les éléments de la trop courte notice que nous avons consacrée à la mémoire de sa grand'mère, dont on s'était trop peu occupé jusqu'à ce jour au point de vue artistique.

Madame Fragonard peignait si habilement la miniature, qu'on a souvent confondu ses œuvres avec celles de son mari. Comme tous les vieillards, — nous a dit M. Fragonard, de Sèvres, — ma grand'mère aimait à évoquer ses souvenirs de jeunesse; elle se plaisait notamment à raconter l'anecdote suivante au sujet de son voyage en Italie : — « A Naples, nous nous arrêtâmes dans un des « meilleurs hôtels de la ville; un matin, mon mari était « sorti ; on m'annonce un visiteur italien dont le nom « m'était inconnu. — Mon mari n'y est pas, répondis-je. « — C'est madame que l'on demande. — Faites entrer « alors, mais ne me quittez pas, ajoutai-je à ma femme « de chambre. Mon visiteur était un *signor* d'assez « bonne mine, supérieurement vêtu; après trois saluts « profonds, il me fit signe de m'asseoir, oubliant que « j'étais chez moi. Je lui obéis, le regardant toutefois « de tous mes yeux; alors il tira de sa poche un mou- « choir de fine batiste qu'il déposa à mes pieds, et sur « ce carreau improvisé il s'agenouilla respectueusement. « Que signifiaient toutes ces cérémonies? Avais-je affaire « avec un fou? Je me trouvais clouée sur mon fauteuil « par la crainte et la surprise. Je regardai ma servante, « qui conservait un imperturbable sang-froid; heureuse- « ment, l'explication ne se fit pas longtemps attendre ; « mon chevalier tira de sa poche une mesure et l'appro- « cha de mon pied. (J'avais en effet demandé à mon « hôtelier un cordonnier dont l'intervention m'était « nécessaire; l'hôtelier avait averti le *cordonnier de la* « *cour!* Mon artiste, son opération terminée, recom- « mença avec solennité ses révérences et disparut. — « Dès qu'il fut parti, je me pris à rire de lui et de « moi. » (*Inédit.*)

Terminons en disant qu'il existe au Musée de Besançon (Dessins du cabinet Paris) un portrait de madame Fragonard lavé à l'encre de Chine par son mari (H. 10 c. L. 9 c.), et que ce Musée possède en outre une miniature, le portrait de M. Trouard fils, exécuté par notre artiste, provenant de la même collection.

### 1779.

*Deux têtes de jeunes filles, peintes en miniature.* (H. 2 po. 1/2 L. 2 po.)

77. FRANÇOIS (*Henri-J.*), peintre et poëte, est né dans le Luxembourg ; il était élève de G. Brenet ; on lui doit, comme écrivain : *Aux Français sur la paix de Tilsitt, ode.* — *Paris, Brasseur aîné (s. d.), in-4°.* — *Poésies diverses.* — *Paris, Colnet, 1814, in-8°.* — *D'un écrit de P. Chaussard sur le tableau des Sabines de David et sur l'état présent de la peinture en France, ses progrès et sa direction, in-8°;* enfin, une *Épître à Alexis Pauquet, homme de loi à Paris, à Pity-sur-Ourcq, le 1ᵉʳ octobre, l'an Iᵉʳ de la république française;* extrait du Journal général de France du 15 octobre 1792, in-8° de 4 pages. Il a publié en outre des fables dans les journaux du temps. François a exposé son portrait au Louvre en 1798, et C.-S. Gaucher a gravé d'après lui le portrait de A.-P.-A. de Piis, secrétaire interprète du comte d'Artois ; il a pris part aux salons de 1791, 1793, 1795, 1796, 1798, 1799, 1800, 1801, 1802, 1804 et 1806.

SALON DE LA CORRESPONDANCE. 1785.

*Portraits de M. Degault, peintre, et de son épouse.*

### 1786.

*Portrait de M. le marquis de Rosset,* capitaine de vaisseau, en uniforme sur le bord de la mer ; une jeune demoiselle, sa fille, lui présente une branche d'olivier ; l'un et l'autre de grandeur naturelle, vus jusqu'aux genoux. — *Portrait de M. Ricourt,* sculpteur. (A M. Degault, peintre.) — *Portrait de l'artiste* (dans l'attitude du travail.)

M. Joly de Saint-Just fit lire, le 28 mars 1787, *au Salon de la Correspondance,* l'épître qui suit, qu'il avait composée pour son ami François :

> Chantre léger de la tendresse.
> Docte favori d'Apollon,
> Qui promènes avec adresse
> Ta folle et badine jeunesse
> Dans Paphos et sur l'Hélicon.

Comme tu sais avec finesse
Allier sur le même ton
Et la folie et la raison !

Tu ne consultes qu'Epicure
Ton Apollon est la nature :
Fière de tes crayons flatteurs,
Ta muse vole sur les fleurs,
Quand dans ton amoureuse ivresse
Sur la lyre d'Anacreon,
Tu modules avec justesse
Un hymne tendre à Cupidon.

Mais aux faveurs toujours nouvelles
Qu'accorde la belle Cypris,
Rival d'Apelle et de Xeuxis,
Tu joins des palmes immortelles.

Tu prends tes pinceaux enchanteurs...
Déjà sur la toile animée
Je reconnais les traits flatteurs
Et les grâces de ma Zulmée.

Tu fais des tableaux, des chansons,
Et toujours le dieu du génie
Vient guider tes heureux crayons.

Qu'à ton bonheur je porte envie !
Tu peins les Grâces : en retour,
Elles prodiguent leurs caresses,
Et tu ne veux former ta cour
Que de ces aimables déesses.

78. FRANÇOIS, sculpteur, élève de Gois.

1781.

*Lion qui repose* (terre cuite).

79. FRATREL (*Joseph*), peintre miniaturiste et graveur, naquit
   à Epinal en 1730 et mourut en 1783 à Manheim ;
   élève de Beaudoin, il devint professeur de l'académie de
   peinture, de l'académie de Metz, et fut nommé, en 1754,
   peintre ordinaire en miniature du roi de Pologne ; il passa,
   après la mort de ce monarque, en la même qualité auprès
   de l'électeur palatin, Charles-Théodore. Reçu, le 5 jan-

vier 1759, licencié en droit à Besançon et, le 20 août de
la même année, avocat à Nancy, il se vit, par suite d'un
vice d'organisation, dans l'impossibilité de poursuivre la
carrière du barreau. Il laissa après sa mort onze enfants
orphelins, auxquels l'archichancelier baron de Dalberg,
propriétaire de son tableau *la Cora,* se chargea de faire
une pension. Une de ses plus belles toiles, *Cornélie,* orne
la galerie royale de Munich; *la Vestale* avait été acquise
par M. de Pigage; sa plus riche composition, *la Fuite en
Égypte,* avait été achetée par le comte de Truchsess;
enfin en 1806, son morceau favori, *le Fils du Meunier,* se
trouvait encore dans sa famille. La galerie de Darmstadt
possède également des œuvres de Fratrel, mais on en
chercherait en vain aux Musées du Louvre, de Metz, de
Nancy, d'Epinal et de Besançon. Son œuvre, gravé à l'eau-
forte par lui-même et composé de 17 planches, porte le
titre suivant : « *OEuvre de Joseph Fratrel, peintre de la
cour de S. A. élect. Pol., professeur des académies des
arts de Mannheim et de Dusseldorf, membre de la société
littéraire de Metz. — Mannheim, au comtoir de præmuné-
ration et de souscription,* 1799, *in. fol.* Il a en outre
laissé un ouvrage relatif à son art : « *La cire alliée avec
l'huile ou la peinture à huile-cire trouvée à Mannheim par
M. Charles baron de Taubenheim, expérimentée, décrite et
dédiée à l'électeur par le sieur Joseph Fratrel, avocat en
parlement, ci-devant peintre ordinaire en mignature de
feue S. M. le roi de Pologne, duc de Lorraine et de
Bar, etc., actuellement peintre de la cour de S. A. S. E.
palatine.* » — *Mannheim, imp. de l'acad. élect.* 1770,
*in-8°.* On trouve une notice sur Fratrel par M. de Klein,
conseiller intime de Mannheim et correspondant de l'institut, dans le « Magasin encycl. Millin. » (IIᵉ année, 1806,
tome 3, P. 560.)

SALON DE LA CORRESPONDANCE. 1782.

*Jésus-Christ et la femme adultère.* (Miniature du cabinet de M. d'Ennery.)

80. FRÉDÉRIKS (J. H.), peintre de Bréda, à Paris, rue de Gèvres,
près la Grève, vivait encore en 1808, puisque le Magasin
encyclopédique de cette année-là annonçait de notre
artiste un certain nombre de tableaux, représentant des
ruines gothiques près du rivage de la mer et un surtout
figurant *l'Été*, composition « agréable et vraie. » Il fut
aussi adjugé, en 1810, à la vente de la collection de H. de
Jonghe de Rotterdam, un très-beau tableau de Frédériks. A part ces quelques renseignements, nous n'avons
pas été plus heureux que le docteur Nagler, qui avoue
n'avoir pu recueillir aucun détail sur le peintre de Bréda.

SALON DE LA CORRESPONDANCE. 1780.

*Fleurs et fruits.* (H. 3 pi. 1/2. L. 2 pi. 9 po.)

81. GARDEUR, sculpteur, rue du Fer à moulin, faubourg Saint-
Marceau.

SALON DE LA CORRESPONDANCE. 1779.

*Différents modèles de baguettes pour cadres de tableaux, tapisseries ou
glaces,* exécutés en carton.
*Deux dessus de porte,* en carton.
*Tête de Diane et tête d'Apollon,* en carton inaltérable.

« Ces essais — dit La Blancherie — dans un genre nouveau sont com-
« posés d'une frise très-légère, rapportée sur différents fonds d'or bruni,
« sablé ou en argent dissous, ce qui fait le mat et le bruni de l'orfé-
« vrerie sans être sujet à être altéré, comme ce qui est argenté en feuilles ;
« le tout approuvé par l'Académie d'architecture. »

82. GAUCHER (*Charles-Étienne*), graveur et écrivain, élève de
Basan et de Lebas, est né à Paris en 1740 et y est décédé en 1804 ; on lui doit un *Essai sur l'origine et les
avantages de la gravure* (an VI), un *Essai sur l'observation
du costume national relativement aux arts,* la *Relation
d'un voyage au Havre* (an VI), le *Désaveu des artistes, ou
lettre à M***,* servant de réfutation à l'*Almanach historique et raisonné des architectes, peintres, sculpteurs,* etc.

(1776). Son portrait a été gravé par A.-P. de B. d'après T. de Noireterre (1787) et il a exposé au Louvre en 1795.

### 1786.

*Portrait de Louis Gillet, maréchal des logis,* gravé d'après son propre dessin, exécuté d'après nature aux Invalides. (Voyez ci-dessus, à l'article Couasnon.)

### 1787.

*Portrait de Marmontel,* d'après nature ; il l'a gravé en tête de la nouvelle édition des œuvres de Marmontel. — *Portrait d'après nature de M. Moreau de Saint-Méry,* conseiller au conseil supérieur du cap Français, destiné pour mettre en tête de l'ouvrage de ce dernier sur les lois et les constitutions des îles françaises de l'Amérique.

85. GAUTHEY (*Dom*), religieux de l'ordre de Cîteaux.

### 1781.

*Plusieurs médailles en stuc, peintes et dorées sur le relief.* « L'objet des « recherches de D. Gauthey a été de réunir à la vérité du relief celle « des couleurs que les objets ont dans la nature. »

84. GAUTIER D'AGOTY (*Jacques-Fabien*), graveur, né à Marseille en 1717, mort à Paris en 1786 ; il était fils de Jacques, aussi graveur et frère d'Arnauld-Éloy Gautier d'Agoty, auteur du cours d'anatomie et des planches d'histoire naturelle en manière de lavis. L'artiste qui nous occupe fut le moins marquant de la famille ; il créa, en 1770, la *Galerie française des hommes et des femmes célèbres,* dont il ne parut que 2 livraisons (mai-juin 1770) ; Hérissant fils l'a continuée en 1772 ; son second essai, *la Monarchie française, ou Recueil chronologique des portraits de tous les rois et des chefs des premières familles,* fut encore moins heureux : il ne parut qu'une seule livraison, contenant six personnages de Pharamond à Childebert.

SALON DE LA CORRESPONDANCE. 1779.

*Portrait de la reine Marie-Antoinette,* esquisse d'après nature. (H. 2 pi. 2 po. L. 2 pi. 1 p.)

85. GENILLION (*Jean-Baptiste-François*), ingénieur, peintre et dessinateur des côtes de la marine ; élève de J. Vernet ; né en 1750, mort à Paris au palais de l'Institut, âgé de 79 ans, le 27 janvier 1829 ; veuf de dame Houllier ; il a pris part aux Salons de 1791, 1795, 1798, 1799, 1800, 1801, 1802, 1804, 1806, 1808, 1810, 1812 et 1819. Il exposa en 1779 à la place Dauphine. Il a fourni des dessins au *Voyage en France* de Née, et a été gravé par ce dernier et par Aveline ; son portrait, peint à l'huile par Danloux, figura en 1782 au Salon de la correspondance.

### 1779.

*Paysage représentant des rochers, une chute d'eau, un ciel mêlé de nuages avec un commencement d'arc-en-ciel et une vue de la mer dans le plan le plus reculé ; — la Vue de Morat, en Suisse.* (H. 15 po. L. 21 po. ; aquarelle.) — *Vue de Montpellier, prise en face de la place du Pérou.* (H. 8 po. L. 20 po. ; mine de plomb). — *La Grotte de Neptune à Tivoli.* (H. 35 po. L. 25 po.)

### 1781.

Grand tableau représentant *une Vue du château Saint-Ange.* — *Vue du pont Royal et des Tuileries,* peinte sur émail. (H. 6 po. L. 8 po.)

### 1782.

Grand tableau représentant *un Paysage dans le genre des descriptions de Gessner,* orné de figures et de ruines. (Huile, du cabinet de M. Cornillon, graveur.) Deux petites vues des environs de Naples : *Coucher de soleil ; Clair de lune.* (Genre éludorique, du cabinet de M. Cornillon.)

### 1785.

Deux paysages : l'un, *le Sommeil de Chloé ;* l'autre, *le Double serment de Daphnis.*

GÉRARD (*Marie-Anne,* demoiselle). Voyez : FRAGONARD (madame).

86. GESNER (*Salomon*), auteur, libraire et peintre de paysages ; né à Zurich, le 1er avril 1730, décédé dans la même ville, d'une paralysie, le 2 mars 1788. Nous n'insisterons pas sur ce personnage, suffisamment connu, auquel J.-J. Hottinger a consacré une excellente monographie (Zurich, 1796), traduite en francais par J.-H. Meister

(Zurich, 1799, avec portrait.) Nous rappellerons qu'un monument a été élevé à sa mémoire par le sculpteur Trippel dans l'une des plus belles promenades de Zurich, au confluent de la Lint et de la Limmath ; la *Lettre sur le paysage* de Gesner a été traduite en français par Huber et refondue par Watelet. L'œuvre de Salomon Gesner, contenant les 356 planches qu'il a dessinées et gravées pour différentes éditions de ses ouvrages, a été publié à Zurich, en 2 vol. in-fol. (1752-1788). On prétend qu'il n'en a été tiré que 25 exemplaires complets.

SALON DE LA CORRESPONDANCE. 1785.

*Deux paysages avec figures à la gouache.* (Du cabinet de M. Girardot de Marigny.)

87. GIRARD (*Étienne-Martin*), peintre, mourut à Paris, le 23 octobre 1782 (paroisse Saint-Laurent), âgé de 40 ans, époux de Catherine-Simone-Élisabeth Dugué et neveu de Me Jean-Jacques Gomard, aumônier du roi; il était membre de l'Académie de Saint-Luc et prit part à l'exposition de 1774; il figura également en 1776 à celle du Colisée, où il avait envoyé des *rues de Naples, de Marseille, de Rouen, des Tuileries, de Bercy;* un *Radeau dont les Romains se servaient pour transporter les obélisques d'Égypte à Rome,* dessiné sur l'original en relief du cabinet du cardinal Alaudieux ; un *Projet de place devant la colonnade du vieux Louvre,* et une *Vue du château de Gurge,* ayant appartenu à M. Blondel de Gagny.

SALON DE LA CORRESPONDANCE. 1779.

*Deux rues :* l'une, *de Languedoc;* l'autre, *des environs d'Avignon;* gouache. (H. 12 po. L. 19 po.) — *Le radeau* déjà exposé en 1776, mais peint à la gouache. (H. 1 pi. L. 18 po.)

88. GOUPYL, sculpteur, rue Poissonnière, vis-à-vis les Menus Plaisirs du roi.

1779.

*Petit groupe d'enfants représentant les Jeux de l'Amitié;* terre cuite.

89. GRAINCOURT, peintre et pensionnaire de M. le cardinal de Luynes.

### 1779.

*Portrait du roi*, à la mine de plomb, fixé sur ivoire; ovale. (H. 2 po. L. 1 po. 10 lig.) — *Portrait de J.-J. Rousseau;* gouache. (H. 2 po. 1/2. L. 2 po.)— *Portrait de Stanislas Iᵉʳ;* mine de plomb sur ivoire. (H. 2 po. 1/2. L. 2 po.) — *Le dernier évêque d'Amiens;* miniature. — *Portrait de Bertrand Duguesclin;* à la mine de plomb, sur vélin; ovale. (H. 6 po. L. 5 po.) — *Portrait de Jouvenel;* au pastel, d'après Rigault. (H. 1 pi. 5 po. L. 1 pi. 5 po.) — *Portrait de Chardin;* à l'huile, d'après le pastel fait par l'artiste lui-même. (H. 1 pi. 5 po. L. 1 pi. 5 po.) — *Portrait du docteur Franklin;* miniature; ovale. (H. 1 po. 6 lig. L. 1 po. 3 lig.) — *Portrait de la reine Christine de Suède :* dessiné à la mine de plomb sur vélin; ovale. (H. 6 po. 1/2. L. 4 po. 5 lig.) — *Dessin allégorique à la mine de plomb et sur vélin en l'honneur de M. le comte d'Estaing.* (H. 7 po. L. 6 po.). La France est assise sur des lauriers, la main droite appuyée sur une ancre, avec le portrait de M. le comte d'Estaing, dont elle soutient le médaillon de l'autre main. Les succès remportés par le héros sur les Anglais sont désignés par une massue sous laquelle est renversé le pavillon de l'Angleterre Ces derniers objets sont groupés d'une forte branche de laurier qui s'élève autour du médaillon.

### 1780.

*Portrait de M. le comte de Toulouse*, grand amiral de France, dessiné à la mine de plomb sur vélin.

### 1781.

*Portrait de M. le cardinal de Luynes*, protecteur du salon de la Correspondance; ovale. (H. 2 pi. L. 19 po.)

### 1782.

*Portraits à l'huile du comte de Toulouse, du maréchal de Tourville et de feu M. Turgot*, ancien ministre de la marine, d'après Rigault et Drouais père et fils; ces portraits font partie de la collection des *Hommes illustres de la marine* (1), ordonnée par le gouvernement pour former une galerie dans le dépôt de la marine à Versailles, d'après le projet qu'en a donné M. Berthier, gouverneur de l'hôtel de la guerre. — Graincourt a fourni

(1) Les *Hommes illustres de la marine* française, leurs actions mémorables et leurs portraits. — Paris, L. Jorry, 1780-1781. in-4°.

en outre à cette suite, d'après Hubert, les portraits *du duc de Brézé, du duc de Beaufort, du maréchal de Vironne, du chevalier de Valbelle, de Duquesne, de Jean Bart, du comte de Forbin, du chevalier de la Roche-Saint-André, du maréchal de Chateau-Regnaut, du maréchal de Coëtlogon, de Duguay-Trouyn, du maréchal d'Estrées, du marquis de L'Étanduère, de La Galissonnière, de Mahé de La Bourdonnais.*

90. GREUZE (*Jean Baptiste*), peintre et graveur, né à Tournus (Saône-et-Loire), le 21 août 1725, mort à Paris, au Louvre, le 21 mars 1805, était élève de Grandon, de Lyon; il fut agréé à l'Académie, le 28 juin 1755, sur *l'Aveugle trompé;* reçu académicien, le 25 août 1769, sur *l'Empereur Sévère reprochant à son fils Caracalla d'avoir voulu l'assassiner.* (Au Louvre.) Il a pris part aux Salons de 1755, 1757, 1759, 1761, 1763, 1765, 1769, 1800, 1801 et 1804. Le Louvre possède son portrait peint par lui-même qui a été gravé dans le *Musée français;* il fut exposé en 1761; il a été gravé par un grand nombre d'artistes, mais principalement par Flipart, Gaillard, Levasseur et Massard; nous citerons en outre : Aliamet, Lebas, Beauvarlet, Beljambe, Binet, M.-L.-A. Boisot, Bonnet, de Bréa, L. Cars et Jardinier, Charpentier, Danzel, Delaunay le jeune, Dennel, Devisse, Dupuis, Guttemberg, Henriquez et Molès, Hubert, Janinet, Ingouf, Laurent, madame Lingée, Delalive, Macret, Malœuvre, Marais, Marin, Martenasie, Moitte, Moreau le jeune, J.-G. Muller, Porporati, Letellier, Voyez, Watelet. Il a gravé lui-même à l'eau-forte deux pièces qui ont été décrites par M. de Baudicour, tome I<sup>er</sup>. On voit de ses œuvres aux Musées du Louvre, de Besançon, Dijon, Montauban, Nimes, Nantes, Montpellier, Lille; dans les galeries de Londres, Hampton-Court, de Rath, à Genève, et de l'Ermitage, en Russie. Son amour-propre était excessif; il ne put pardonner à l'Académie de ne l'avoir reçu en 1769 que comme peintre de *genre* et non comme peintre d'histoire; aussi cessa-t-il de prendre part à ses expositions à partir de cette époque; c'est pour

ce motif sans doute qu'il fut un des membres assidus du
*Salon de la correspondance.*

### 1779.

*Une tête de jeune fille.* (H. 20 po. L. 16 po.) — *Premier projet du
Gâteau des rois.* (H. 26 po. L. 54 po.)

### 1782.

Grand tableau représentant : *Une jeune fille aux pieds d'une statue de
l'Amour à qui elle fait une invocation.*

### 1785.

Dessin au bistre : *la Marchande de marrons.* (Du cabinet de M. Damery; a
été gravé par Beauvarlet.) — *La Dame de charité.* (Du cabinet de M. Dufresnoy, notaire; Massard a gravé en 1772 une étude de la tête de la
*Dame de charité.*)

### 1785.

*Tête de Vestale.* (Du cabinet de M. le duc de Chabot.)

91. GUICHARD, sculpteur ornemaniste, qu'il ne faut pas confondre avec Guichard, élève de Pajou et Vincent; celui
qui nous occupe exposa en 1776 au Colisée et en 1779
au Salon de la Correspondance : *différents ornements en
arabesques, et des trophées dans le genre pastoral,* sculp-
tés en bois de noyer. (H. 25 po. L. 19 po.) — *Bouquet
de différentes fleurs,* sculpté en pierre de tonnerre d'un
seul morceau. (H. 1 pi. L. 9 po.) — *Un vase contenant
différentes espèces de fleurs sculptées en pierre de tonnerre.* (H. 10 po.)

92. GUILLON, peintre, a exposé au Louvre en 1791.

SALON DE LA CORRESPONDANCE. 1785.

*Petite fille vêtue en garçon, le fleuret à la main et prête à faire des armes;*
(miniature).

GUYARD (Madame). Voyez : VINCENT (Madame).

93. GYROD (peintre), élève de Doyen; expose au Louvre en 1793;
au Salon de la Correspondance en 1782, *le Massacre des
Innocents,* d'après le tableau de Lebrun.

**94.** HALLÉ (Noël), fils de *Claude-Guy*, petit-fils de *Daniel*, tous deux peintres; né à Paris le 2 septembre 1711; décédé dans la même ville le 5 juin 1781 (paroisse Saint-Benoit); 2ᵉ prix de peinture, en 1734, sur *Dalila coupant les cheveux de Samson*. 1ᵉʳ prix, 1736, sur le *Passage de la mer Rouge*. Agréé à l'Académie en 1747, académicien le 31 mai 1748, sur la *Dispute de Minerve et Neptune pour nommer Athènes* (Fontainebleau); adjoint à professeur, le 6 juillet 1748; professeur, le 5 juillet 1755; adjoint à recteur, le 27 septembre 1777; trésorier, la même année; recteur, le 3 mai 1781; surinspecteur des Gobelins, 1771; directeur de l'école de Rome, 1775; chevalier de Saint-Michel, 1777. — Il a aussi gravé à l'eau-forte neuf pièces qui ont été décrites par M. P. de Baudicourt (tome Iᵉʳ). Son portrait a été peint par E. Aubry, qui le donna en 1775 à l'Académie comme morceau de réception. Hallé a été gravé par Miger, Levasseur et Prevost; on voit de ses ouvrages aux Musées du Louvre, d'Orléans, de l'Ermitage; il a exposé aux Salons de 1746, 1747, 1748, 1750, 1751, 1755, 1755, 1757, 1759, 1761, 1763, 1765, 1767, 1769, 1771, 1775, 1775, 1777 et 1779. — Son fils fut premier médecin de l'empereur Napoléon Iᵉʳ.

SALON DE LA CORRESPONDANCE. 1782.

*Hercule aux pieds d'Omphale*, peint à Rome en 1744.

**95.** HEINSIUS (*Johann-Ernst*), peintre allemand; on ignore la date de sa naissance. Nous savons qu'il était venu en 1793 se réfugier à Orléans, qu'il y demeura deux années, vivant du produit de quelques portraits à l'huile; plusieurs collectionneurs d'Orléans possèdent, pour ce motif, de ses œuvres; Heinsius était premier peintre de Mesdames de France, et le Louvre possède (école allemande) le portrait de Madame Victoire. La veuve d'Heinsius touchait encore en 1824 une pension du roi.

7

SALON DE LA CORRESPONDANCE. 1779.

*Portrait de M. Faujas de Saint-Fond*, auteur de l'ouvrage. *Sur les volcans du Vivarais.* (H. 26 po. L. 21 po.)

96. HENRY (*Jean*), peintre de paysages, né à Arles, élève de Joseph Vernet; il exposa au Colisée en 1766, et l'on voit de ses œuvres aux Musées de Toulon, de Marseille et du Havre.

SALON DE LA CORRESPONDANCE. 1779.

*Divers ouvrages en miniature.*

97. HILAIRE (*Jean-Baptiste*), peintre de paysages à la gouache, élève de Leprince, a exposé au Colisée en 1776 et au Louvre en 1796. Langlois et Malbeste ont gravé d'après lui une suite de costumes orientaux faisant partie d'une relation de voyage dans ces contrées; J. Mathieu a gravé d'après le même artiste *l'Anthropophage* : il s'agit d'un certain Blaise Ferrage, surnommé Seyé, assassin dont le *Mercure de France* (1783, nº 10) a raconté le dernier crime, qui fait l'objet de l'estampe précitée.

SALON DE LA CORRESPONDANCE. 1782.

*Paysage représentant des ruines d'architecture avec figures d'hommes dans le costume du Levant.* Lablancherie nous apprend que ce paysage a été gravé; par qui? nous l'ignorons : nous l'avons cherché en vain.

98. HOIN (*Claude-Jean-Baptiste*), peintre de portraits au pastel et de paysages à la gouache et graveur; né à Dijon, le 5 juin 1750, mort dans sa ville natale le    juin 1817; il était élève de Fr. Devosge et de J.-B. Greuze, membre de l'Académie des sciences et belles-lettres de Dijon (1776), associé honoraire de l'Académie royale de peinture de Toulouse; il donna pour morceau de réception son propre portrait en miniature, qui est aujourd'hui au Musée, avec une tête de vieillard et un portrait de femme. Le Musée de Dijon, dont il fut conservateur depuis 1811,

et auquel il légua par testament divers tableaux provenant de son cabinet, possède également son portrait exécuté par lui-même au pastel. Hoin a gravé d'après Boichot et d'après Honoré Fragonard. Il a exposé au Louvre en 1801 et 1802. Il a également gravé à l'eau-forte le portrait de madame Guyard, d'après elle-même (1786).

SALON DE LA CORRESPONDANCE. 1782.

Gouache représentant un tombeau consacré à la mémoire de son père et de sa mère, dans un jardin disposé à la manière anglaise, où il n'a employé d'autre blanc que celui de zinc, récemment découvert par M. de Morveau.

1785.

*Portrait d'homme au pastel.* (H. 20 p. 1/2. L. 16 p. 1/2.)
*Portrait de femme en miniature.* (27 lig. de diam.)
*Portrait de mad.* `***`, *pastel.* (H. 24 p. L. 20 p.)
*Son portrait en miniature.* (H. 19 lig. L. 16 lig.)
*Portrait de femme en miniature.* (28 lig. de diamètre.)

C'est à tort qu'on l'appelle souvent Houin.

99. Holain (N.-F.-J.), peintre, sur le compte duquel nous n'avons rien pu trouver, si ce n'est qu'il a exposé au Louvre en 1791, 1763, 1796, 1798 et 1799 (notamment son portrait cette dernière année).

SALON DE LA CORRESPONDANCE. 1787.

*Portrait de M. le duc de Crillon-Mahon.* — *Portrait de son père.*

100. Houdon (*Jean-Antoine*), sculpteur, né à Versailles, le 20 mars 1741, mort à Paris le 16 juillet 1828 ; il était élève de Lemoine et de Pigale ; reçu à l'Académie royale le 26 juillet 1777, sur *une figure de Morphée ;* membre de l'Institut (1796), professeur à la classe des beaux-arts (1805), 1804. — Il a pris part aux Salons de 1771, 1773, 1775, 1777, 1779, 1781, 1783, 1785, 1787, 1789, 1791, 1793, 1795, 1796, 1800, 1801, 1802, 1804, 1806, 1808, 1812, 1814, 1830. (Luxembourg, exposition posthume.) — On voit de ses ouvrages aux

Musées du Louvre, de Versailles, de Montpellier, de l'Ermitage, de Stockholm, au Théâtre Français; il a été gravé; notamment par A.-B. Durand, et son portrait à été souvent fait.

### SALON DE LA CORRESPONDANCE. 1779.

Il y exposa le buste de M. de Voltaire, dont il avait envoyé un exemplaire à tous les membres de l'Académie française; le corps académique décida en conséquence qu'il « aurait désormais ses entrées à toutes les séances publiques, et deux billets à distribuer à volonté; il reçut en outre le don d'une bourse de 100 jetons et un exemplaire du dictionnaire. » — Il envoya également le buste du chevalier Gluck, au bas duquel on déposa cet impromptu :

Plus avant dans les cœurs, par des traits plus profonds,
Sa lyre souveraine a su porter les sons.
Ses chants font respirer les tragiques alarmes :
Il vit par leur pouvoir le zoïle enchaîné,
Trahi par des sanglots, s'abandonner aux larmes,
Et n'opposa jamais à l'effort de ses armes
Qu'un art victorieux et qu'un front couronné.

### 1785.

Buste de Franklin, envoyé par le petit-fils, pour *la collection des hommes célèbres;* nous n'avons pas à revenir sur ce buste, dont l'histoire est connue ; nous ajouterons seulement cette circonstance que M. Marron, ambassadeur de LL. HH. PP. à la cour de France, avait proposé l'inscription suivante :

Hoc Cincinnati Brutique in marmore virtus,
Spirat in hoc Fabii provida cura simul :
Exprimit heroas tres Washingtonius unus.
Civica fer meritis serta, America, comis.
Illa viri (æternum fremat invidus Anglus) imago est
Patria quo felix cive soluta jugo.
Mascula in heroo libertas suspice vultu,
Ausonia eximium quidquid et Hellas habent.

### 1786 (28 octobre).

Hommage. — M. Houdon, sculpteur du roi, avait été chargé, d'après les résolutions de l'assemblée générale de Virginie, de faire deux bustes de M. le marquis de Lafayette, l'un pour être placé à côté du général

Washington, dans la capitale de l'État, et l'autre, pour être présenté, au nom de la république, à la ville de Paris, par le ministre plénipotentiaire des États-Unis. Cette présentation eut lieu de la manière suivante :

MM. les prévôts des marchands, échevins, conseillers de villes et quartiniers, s'étant rendus dans la grande salle de l'hôtel de ville, l'on y a introduit M. Short, ancien membre du conseil d'État de Virginie (M. Jefferson, ministre plénipotentiaire, étant retenu chez lui par les suites d'une chute). Il a présenté à l'assemblée le buste ainsi que les résolutions de l'État et une lettre de M. Jefferson, par laquelle, énonçant les motifs de ces résolutions, il prie MM. les prévôts des marchands et échevins d'accepter ce buste et de le placer dans l'endroit le plus honorable pour le jeune héros et le plus satisfaisant pour les sentiments d'une nation alliée. M. Pelletier de Morfontaine, conseiller d'État et prévôt des marchands, après un discours relatif au sujet de l'assemblée, fit faire la lecture de la lettre de M. Jefferson. Cette lettre a fait observer que le héros français avait marqué les commencements de sa brillante carrière par des traits si grands, qu'ils auraient honoré la fin de telle vie que ce pût être, et qu'il n'avait pas moins mérité des États-Unis pour le respect qu'il avait toujours eu pour les lois civiles et les droits des citoyens, que par le zèle infatigable et l'habileté avec lesquels il avait conduit et contribué à terminer une guerre qui s'était répandue dans les quatre parties du monde. On fit ensuite la lecture des résolutions de l'État et d'une lettre de M. le baron de Breteuil, ministre au département de Paris, qui annonçait l'approbation du roi. M. Ethis de Corny, avocat et procureur du roi, termina par un discours en requérant la transcription des pièces ci-dessus sur les registres de la ville et l'acceptation du buste, qui fut placé dans la grande salle au bruit des applaudissements et d'une musique militaire.

101. HOUEL (*Jean-Pierre-Louis-Laurent*), peintre de paysages à l'eau-forte et auteur, naquit à Rouen en 1735, et mourut à Paris, le 14 novembre 1815 ; il était élève de Descamps, Lemire et Casanova ; il fut agréé à l'Académie royale de peinture le 29 octobre 1774, et il a pris part aux salons de 1775, 1781, 1789, 1791, 1804, 1806, 1807 ; on voit de ses œuvres aux Musées de Rouen et de Tours ; son portrait, peint en 1772 par Vincent (F.-A.), se voit au Musée de Rouen. On lui doit : *Explication du projet de monument public exposé au concours ouvert par le ministre de l'intérieur, le 20 décembre 1806, pour*

*être exécuté sur le terrain de la Magdeleine.* — *Paris,
imp. des sciences et des arts,* 1807, *in*-8 *de* 12 *pages.* —
*Histoire des éléphants de la ménagerie nationale et rela-
tion de leur voyage à Paris.* — *Paris,* 1798, *in*-8. —
*Histoire naturelle des deux éléphants mâle et femelle du
Muséum de Paris, venus de Hollande en France, en l'an
VI* (1798), *représentée en vingt estampes, dont les dessins
ont été faits d'après nature...* — *Paris, Pougens,* 1803,
*in-fol.* — *Voyage pittoresque des îles de la Sicile, de
Malte et de Lipari, orné de* 264 *planches au bistre.* —
*Paris.* 1782-87, 4 *vol. in-fol.* Houel a laissé en outre
des poésies manuscrites. Lecarpentier et Pinard de Bois-
hébert ont consacré des notices à Houel.

SALON DE LA CORRESPONDANCE. 1781.

*Vue des Thermes de Titus à Rome.* (H. 2 pi. 2 po. L. 2 pi.)

1783.

Deux grands tableaux représentant des *Vues d'Italie avec chutes d'eau et
architecture.*

102. Hubert, peintre en émail, rue du Harlay.

1779.

*Portrait de la reine,* en émail. — *Portrait de feu le baron de Haller,*
président de la société royale de Gottingue, émail très-ressemblant,
(H. 2 po. L. 1 po. 1/2.)

103. Hue (*Jean-François*), peintre de paysages et de marines,
naquit à Saint-Arnould en Yvelines (Seine-et-Oise), le
1ᵉʳ décembre 1751 ; il est mort à Paris le 26 décembre
1823 ; il était élève de Joseph Vernet et fut reçu à l'Académie, le 30 novembre 1782, sur : *Une entrée de forêt* (à
Compiègne). Il a pris part aux Salons de 1781, 1783,
1785, 1787, 1789, 1800, 1801, 1802, 1804, 1806,
1808, 1810, 1812, 1814, 1817, 1819 et 1824 (posthume). On voit de ses œuvres à Versailles et dans les
Musées de Nantes et de Cherbourg ; nous avons vu le

portrait de cet artiste au cabinet des estampes de la Bibliothèque impériale, exécuté à l'eau-forte (l'épreuve ne porte aucune indication de peintre ni de graveur), et Berruer a exposé son buste en 1787. Huc a été gravé notamment par F. Godefroy, Doherty, Skelton et C. Normand; il fut chargé de continuer les ports de France à la mort de Joseph Vernet, et la loi du 29 septembre 1791, qui accordait un secours annuel pour le soutien des arts de peinture, sculpture et gravure, lui alloua 10,000 livres à ce sujet.

SALON DE LA CORRESPONDANCE. 1783.

Grand paysage représentant une *Vue de la plaine de Montmorency*. (Du cabinet de M. Dufresnoy, notaire.)

104. HUET, architecte, rue de l'Université, 42. Nous connaissons de lui une brochure dont voici le titre : *Projet d'une salle pour le théâtre des arts, à construire entre la seconde cour et le jardin du palais Égalité* — (Paris) imp. *de Brasseur aîné, rue de la Harpe, n° 477 (nivôse an* VIII), *in-4° de 3 pages*. Il en parut une seconde édition avec ce titre : *Projet d'une salle pour le théâtre des arts à construire au milieu du jardin du palais Égalité, faisant partie d'un plan général d'embellissement de Paris et d'utilité publique.* — *Paris, Devaux, nivôse an* VIII, *in-8 de 14 pages*). Le parallèle des temples anciens, gothiques et modernes (Paris, Descune, 1809, in-8 de 89 pages) est-il du même auteur? C'est ce que nous ne pouvons affirmer.

SALON DE LA CORRESPONDANCE. 1781.

*Dessin en perspective représentant l'Hôtel-de-Ville de Langres et partie de la place.* (M. Huet était chargé de l'inspection et de la construction dudit hôtel d'après le dessin de M. Durand, architecte de la province de Champagne.) La façade présente de x étages sur un soubassement avec l'avant-corps du milieu décoré de quatre colonnes de l'ordre corinthien, couronné d'un fronton où doivent être les armes du roi ; au devant du soubassement, un grand perron à double rampe. On a réuni dans l'intérieur les différentes juridictions de la ville. Attenant à l'Hôtel-de-Ville sont les prisons.

### 1785.

*Plan et perspective d'une place projetée, sous le nom de place des Vertus, sur le terrain de celle de Saint Michel* (de l'invention de M. Giraud, avocat au Parlement, qui avait en outre inventé le *trictrac Madame*, dont le but, comme le *voyelliste Dauphin*, était de familiariser les enfants avec les alphabets majeurs et mineurs).

#### MONUMENT NATIONAL.

Plan et perspective d'une place projetée sous le nom de place des Vertus, sur le terrain de celle de Saint-Michel, de l'invention de M. Giraud, avocat au Parlement, et exécutée par M. Durand, élève de l'Académie royale d'architecture.

La place des Vertus, ainsi que les places des Grecs et des Romains, est environnée d'une colonnade d'ordre ionique ; au-dessus de cette colonnade sont placés, en forme de statues pédestres, les grands officiers de terre et de mer et autres personnages qui, par leur génie, ont contribué à la splendeur et au bonheur de la monarchie françoise (1), dans l'administration des affaires publiques, ou dans les sciences, les lettres ou les arts.

Dans la frise de l'entablement qui couronne la place, sont alternativement des aigles et des coqs soutenant des festons de fruits et de fleurs, allusion à l'union de l'Empire avec la France.

Cette place est ouverte par huit grands arcs de triomphe relatifs à la paix, sous lesquels on jouit des points de vue de Sainte-Geneviève, de l'école de chirurgie, de la nouvelle Comédie Française, de la Sorbonne, du Palais du Luxembourg, etc., etc. A ces arcs de triomphe aboutissent huit rues, dont quelques-unes nouvelles portent les noms de la famille royale.

Sous la colonnade de la place sont les principales entrées d'églises et d'édifices nouveaux et utiles ; la première, d'une nouvelle église des Jacobins ; la seconde, d'un vaste marché, pour cette partie de Paris qui en manque ; la troisième, d'un hôtel pour les assemblées du clergé ; la quatrième, de nouvelles écoles de médecine ; la cinquième, d'une maison pour les ventes forcées et volontaires.

Ce sont des maisons particulières destinées au commerce qui occupent

---

(1) L'auteur cite les noms suivants :

Orléans, Condé, Conti, Turenne, Catinat, Broglie, Tourville, Duguay-Trouin, d'Estaing, l'Hôpital, d'Aguesseau, Talon, etc. ; Sulli, Louvois, Colbert, Vergennes, d'Angiviller, Fénelon, Bossuet, Montesquieu, Corneille, Buffon, etc , etc.

l'intervalle de ces bâtiments. On a pensé qu'en les substituant ainsi à des hôtels, on rendrait la place plus vivante et plus convenable à son but.

Au-dessus de la colonnade qui règne dans la place, sont différents bas-reliefs intéressants, avec des distiques qui en expliquent les sujets.

L'architecture de la place continue jusqu'aux coins de la rue Saint-Jacques et de la rue nouvelle qui va à Sainte-Geneviève.

Aux coins de ces rues sont des pyramides. La première est portée par un Atlas; la seconde par un Poliphème; la troisième par un Hercule; la quatrième par une Cariatide. A ces pyramides sont attachés les médaillons de la Famille Royale, avec des inscriptions latines et françoises. Ces pyramides ont à leur sommet des globes semés de fleurs de lis, surmontés de cocqus, d'aigles et des vases antiques d'où sortent des parfums.

Au milieu de la place est un piédestal sur lequel sont assis le Roi et la Reine, au milieu des acclamations de leurs sujets. On suppose le moment où Leurs Majestés vinrent visiter les temples à l'occasion de la naissance de Mon Seigneur le Dauphin, et où se reposant, le Roi fait remarquer à la Reine la Sorbone comme l'un des appuis de la religion.

Aux pieds du Roi et de la Reine est en bas-relief une femme représentant les Beaux-Arts. Elle tient d'une main le médaillon de Titus, et d'un doigt fait remarquer au peuple une légende qui est au-dessus, tandis que de l'autre main elle lui fait fixer l'image de son Roi, pour qu'il fasse l'application de la légende. Sur les différents côtés de ce piédestal sont des inscriptions latines et françoises.

Aux coins du piédestal sont des figures analogues aux Facultés de l'Université, aux Sciences, aux Lettres et à la Paix, avec des inscriptions latines et françoises.

Pour ramener dans la place des Vertus les quatre derniers règnes, il y a quatre grandes et superbes colonnes dans le genre de celle qui a été élevée à Rome à l'empereur Trajan; au-dessus de ces colonnes sont Henri IV, Louis XIII, Louis XIV et Louis XV; au bas de ces colonnes sont des fontaines allégoriques au pacte de famille de la France avec l'Empire, l'Espagne, Naples et la Savoie; deux de ces fontaines sont représentées par des fleuves, le Danube et le Pô, et les deux autres par des montagnes, le mont Etna et les Pyrénées; au bas de ces fontaines sont des inscriptions françoises.

Entre les vues différentes qu'on a eues en composant cette place remarquable par l'unité d'architecture, qui ne se rencontre dans aucune des places de cette ville, on a eu particulièrement celles : 1° d'engager la capitale du royaume à ne point mettre davantage les places de ses rois d'un seul et même côté de la ville, ce qu'on lui reproche; 2° d'inspirer à

la nation de réunir pour la première fois, dans une même place, un roi
et une reine qui partagent également l'amour et le respect de leurs sujets;
3° de lui remettre sous les yeux les règnes précédents, ainsi que les
grands hommes qui dans tous les genres ont illustré la France; 4° de
faire naître au corps municipal de cette ville l'envie de former des établissements nouveaux et utiles qui lui manquent; 5° de faire jouir les
François et les étrangers de nouveaux points de vue aussi intéressants
qu'agréables, et du spectacle d'un superbe salon que formeroit cette
place, enrichie d'ailleurs d'une multitude de bas-relief distingués, etc.;
6° de procurer à la proximité du palais de Monsieur, frère du Roi, une
vaste place pour retirer les voitures des personnes qui fréquentent le
Théâtre-François.

Ce projet a été fort goûté; le plan en est également grand et magni-
fique, et la disposition en est aussi noblement conçue qu'ingénieusement
imaginée. On admire comment l'auteur a su y réunir, et pour ainsi dire
y attacher, par les points de vue, une multitude de superbes édifices
maintenant isolés de cette capitale. Si jamais on peut appliquer à son
embellissement de puissants moyens, sans doute que ces idées seront
accueillies et exécutées. En attendant, M. Giraud jouira du double honneur
d'avoir projeté un monument aux vertus et aux talents patriotiques, et
d'en faire l'hommage à un roi l'ami de la sagesse et le père de son peuple
dès ses plus jeunes années.

105.  IMBERT (*J.-F.*), peintre; mort à Paris le 24 novembre 1787
(paroisse St-Jacques de l'Hôpital); M<sup>lle</sup> Papavoine a gravé
d'après lui le *Passe-Temps* (du cabinet de M. Arnould).

1779.

*Portrait en pied représentant un homme dans le costume ottoman.* H. 2 pi.
L. 19 po.) — *Portrait représentant une jeune demoiselle.* (H. 23 po.
L. 21 po.)

106.  JEAURAT (Etienne), l'oncle, peintre, né à Paris le 9 février
1699, mort à Versailles le 14 décembre 1789; élève de
Vleughel, avec qui il fit le voyage d'Italie; reçu à l'Académie royale de peinture le 24 juillet 1733, sur *Pyrame
et Thisbé* (à Compiègne); il fut successivement adj. à
prof. (2 juillet 1737), prof. (6 juillet 1743), adj. à rect.
(7 mars 1761), recteur (23 août 1765), chancelier (24 février 1781); il était en outre garde des tableaux de la

couronne à Versailles. — Son portrait a été peint plu-
sieurs fois, notamment par Roslin, Greuze (au Louvre) et
Aubry; il a été gravé par Lépicié, Staub, Et. Fessard,
Cl. Duflos, Leznad, R. Gaillard.

Il a pris part aux salons de 1737, 1738, 1739, 1741,
1742, 1743, 1745, 1746, 1747, 1753, 1755, 1757,
1759, 1761, 1765 et 1769; on voit de ses œuvres dans
les Musées du Louvre, de Versailles, de Compiègne, d'Orléans, de Rennes, de l'Ermitage (Russie), etc.; ajoutons
qu'on l'a quelquefois confondu avec Edme Jeaurat, habile
graveur, élève de N. Picart (décédé paroisse St.-Benoît le
1er juillet 1738), et que son neveu, Jeaurat de Berty (Nico-
las-Henri) qui vivait encore en 1793, fit aussi partie de
l'Académie.

### SALON DE LA CORRESPONDANCE. 1782.

Tableau représentant *plusieurs chartreux dans des ruines d'architecture
occupés à la lecture et à la méditation*. (Du cabinet de M. de Mirbeck, avocat aux conseils du roi.)

M. Sylvain Puychevrier a consacré à cet artiste une consciencieuse
étude dont voici le titre: *Le peintre Étienne Jeaurat, essai historique...* —
*Paris, A. Aubry*, 1862, *in-8 de 45 pages.*

107. JEUNÉ, à la cour d'ordre, à l'Arsenal.

#### 1782.

Petit canon exécuté en marbre d'une seule pièce.

108. JOLY, peintre du feu roi de Pologne, rue Comtesse d'Artois,
cul-de-sac de la Bouteille.

#### 1780.

Tableau représentant *la rue de Seine et de l'Échaudé*, prise du milieu de
la rue de Seine. (H. 17. po. L. 20. po.)

#### 1781.

*L'intérieur d'une salle d'arsenal et l'intérieur d'un temple où l'on voit
la bénédiction des drapeaux. — Vue du pont Neuf, prise de la place
Dauphine.*

**109.** Jouannon (demoiselle), au café Lyonnais, place Maubert.

1780.

Un vase de fleurs. (H. 5 pi 1/2 L. 2 pi. 9 po.)

**110.** Julien (*Simon*), peintre et graveur, est né à Toulon (Var), le
28 octobre 1735; il est décédé à Paris le 5 ventôse an VIII,
(24 février 1800) 6° arrondissement. — On l'a presque
toujours confondu avec Julien (*Jean-Antoine*), dit *de
Parme*, né à Cavigliano (Suisse), le 23 avril 1736, mort
à Paris le 10 thermidor an VII (28 juillet 1799), 12° arrondissement.

Simon était élève d'André Bardon et de C. Van Loo ; il
remporta en 1760 le grand prix de peinture dont le sujet était *le Sacrifice de Manué, père de Samson ;* il fut
agréé à l'Académie le 29 mars 1783, sur le *Triomphe
d'Aurélien*, et le 27 juin 1789, il présenta, pour être reçu
académicien, son tableau de *l'Aurore et Titan*, qui fut
exposé en 1800 après sa mort. Toutefois, le titre qu'il re-
cherchait ne lui fut pas accordé. Il a pris part aux Salons
de 1783, 1785, 1787 et 1800 ; son portrait par lui-
même (1789) se voit au Musée de Toulon ; il a été gravé
par Laurent Julien, son neveu, Lemat, Ant. Carrée ;
M. Prosper de Baudicour a décrit en outre (t. I, p. 185-
193) huit pièces gravées à l'eau-forte par S. Julien de
1764 à 1773.

Barry a consacré un article nécrologique à Simon Julien,
dans le Magasin encyclopédique de Millin, 6° année, an VIII,
tome I°ʳ, p. 122-123. — Landon, dans son Précis historique des productions des arts, Paris, 1801, a donné
une vie de Julien (Jean-Antoine), dit de Parme, écrite par
lui-même ; le Magasin encyclopédique Millin, 5° année,
1799, tome IV, p. 109, lui a en outre consacré un article
nécrologique.

SALON DE LA CORRESPONDANCE. 1782.

*Deux têtes de femme en miniature.*

1785.

*Triomphe d'Aurélien*. (Du Cabinet de M. le duc de Larochefoucauld.) Ce tableau, comme nous l'avons dit, fut le morceau d'agrément de Simon à l'académie ; il est aujourd'hui au Musée de Toulon, avec divers autres dont M. Auguste Julien, neveu de l'artiste, a gratifié cet établissement.

Ajoutons que Simon Julien avait orné de tableaux l'hôtel de madame la princesse de Kinsky.

**111.** KAWEZINSKI, jeune Polonais, petit hôtel Notre-Dame, rue Champfleury.

1779.

Portefeuille contenant plusieurs dessins et plans des bâtiments anciens ou modernes les plus remarquables de l'Italie par leur belle architecture, ainsi que plusieurs projets de bâtiments publics de l'invention de a uteur le tout lavé à l'encre de Chine et exécuté en Italie, d'où il est arrivé depuis peu pour s'adonner à l'architecture après quatre années de voyage ; ce jeune artiste parle l'allemand, l'italien et le français.

**112.** KYMLI, peintre et chargé d'affaires de l'électeur palatin ; il était ami du graveur J.-G. Wille, qui parle souvent de lui dans son journal. Kymli exposa au Colisée, en 1776, une *Tête de vieille* et le *Portrait de Muller*, graveur du roi ; il a été gravé par P.-A. Tardieu, A. Pierron et Levasseur ; Reynauld de Lalande a rédigé le catalogue de vente de son cabinet, qui eut lieu le 22 février 1813.

1779.

*Un enfant nouveau-né dormant dans un berceau, gardé par un chien.* (H. 18 p. L. 24 po.) — *Portrait d'un religieux*, d'après nature. — *Petite Savoyarde;* sur cuivre. (H. 5 po. 4 lig. L. 2 po. 9 lig.) — *Portrait de femme, accordant une harpe et préludant de la voix, vêtue en satin blanc.* (H. 4 pi. 6 po. L. 3 pi. 6 po.) — *Chasseur se reposant sous un arbre;* au fond se voit un bois où il a chassé; il tient d'une main un linge blanc avec lequel il a essuyé la sueur, et de l'autre son chapeau; à côté de lui son chien, à ses pieds du gibier; sur cuivre. (H. 13 po. L. 13 po.) — *Portrait de femme jouant de la guitare.* (H. 11 po. L. 7 po.) — *Jeune personne vêtue dans le costume espagnol;* manière de Van Dyck. (H. 7 po. 6 lig. L. 6 po.) — *Portrait d'un jeune abbé.* (H. 8 po. L. 6 p.) — *Juif polonais mettant la main sur sa conscience pour attester la vérité;* genre de Van Dyck. (H. 6 po. L. 4 po. 9 lig.) — *Portrait de femme vêtue en Sa-*

*voyarde et jouant de la vielle.* (II. 10 po. L. 7 po.) — *Le portrait de l'artiste ;* à son côté droit, sur un chevalet, est placé le portrait de son protecteur, l'électeur palatin, qu'il montre de la main droite. (H. 1 pi. L. 8 po.) — *Tête d'étude ;* jeune élève occupé à dessiner. (H. 1 pi. 8 po. L. 1 pi. 4 po.) *Vieillard juif récitant des psaumes ;* il est supposé dans la synagogue et il couvre sa tête, selon l'usage, des dix commandements. *Juive* (femme du précédent) ayant un voile sur la tête et la main gauche sur sa poitrine, selon la manière consacrée chez les Juifs. (H. 5 po. 7 lig. L. 10 po 10 lig.) — *Le jeune prince de Ligne ;* huile. (H. 21 po.) — *Portrait de Mad. la marquise de Vauban :* huile, ovale. (H. 8 po. L. 6 po. 1/2.) — *Portrait de M. le prince Massalsky,* évêque de Wilna, de l'Académie des belles-lettres. (H. 1 pi. 10 po. L. 1 pi. 1/2). — *Portrait du même,* donné à M. de La Blancherie par ledit évêque, en reconnaissance de l'utilité qu'il a retirée de l'établissement de la Correspondance. (H. 10 po. L. 8 po.) — *Portrait de l'abbé Beaudeau.* (H. 21 po. L. 18 po.) — *Tête de vieillard vêtu en capucin ;* huile. (H. 21 po. L. 18 po.) — *Famille dans une prairie près d'un bois ;* c'est le retour d'une chasse ; une jeune mère avec deux petits enfants, accompagnée de son père et de sa mère, reçoit son mari qui parait arriver avec un équipage de chasse ; l'aîné de ses enfants s'empresse d'aller prendre des perdrix qu'il tient à la main. (H. 1 pi. L. 16 po.)

### 1780.

*Deux portraits, homme et femme.* (H. 10 po. L. 7. po ) — *Un Juif.* (H. 6 po. L. 5 po.)

### 1781.

*Une dame lisant pendant que sa fille l'interrompt par ses jeux.* (H. 1 pi. L. 11 po.) — *Portrait de M. Seyffert, médecin de Mgr le comte d'Artois.* (H. 7 po. 1/2 L. 6 po.) — *Une marchande d'œufs.* — *Paysan portant des légumes dans une hotte.* (H. 7 po. L. 5 po. 8 lig.) — *Juif polonais portant sur son dos un lit d'enfant, en soulevant les liens par les deux mains contre sa poitrine.* — *Portrait de l'artiste* montrant celui de sa femme, peint par lui-même. — *Un jeune enfant assis et jouant.* — *Portrait de M. Pomme, médecin consultant du roi ;* grandeur naturelle ; huile. — *Jeune enfant, vu à mi-corps, appuyé sur le dos d'une chaise, souriant aux spectateurs ;* huile.

### 1785.

*Portraits de Mad. Pia ;—de M. Wille* (J.-G.), graveur du roi. — *Portrait de Mad. la présidente Ogier,* anciennement ambassadrice en Danemark et décorée de l'ordre de l'Union ; on lit en bas ce quatrain par son neveu, le chevalier Lamerville :

La beauté prit plaisir à lui rester fidèle ;
Du feu de son esprit ses yeux brillent toujours.

Un charme, en l'écoutant, vous retient auprès d'elle,
Et l'amitié la croit au printemps de ses jours.

### 1786.

*Portrait de l'artiste, prenant du tabac. — Tête de vieillard du Levant.*

### 1787.

*Un vieillard tenant une bouteille. — Une jeune femme dans le commencement de l'ivresse.*

Ajoutons que Lehrner (voyez ce nom) exposa en 1781, au *Salon de la Correspondance*, le médaillon en cire de Kymli.

LABILLE DES VERTUS (Adélaïde, demoiselle), Voyez VINCENT (Madame).

113. LACOMBE, chez MM. Née et Masquelier, graveurs, rue des Francs-Bourgeois, place Saint-Michel.

### 1782.

Grand dessin sur toile, aux crayons noir et blanc, représentant *des baigneuses à l'entrée d'une forêt.*

114. LALLEMAND (*Jean-Baptiste*), peintre de marines et de paysages, sans maître, est né à Dijon vers 1710; il mourut au commencement de ce siècle; il était membre de l'Académie de Saint-Luc, et il a pris part en cette qualité aux expositions de 1751 et 1764; il figura aussi à celle du Colisée en 1776 et en 1783 à la place Dauphine; le Musée de Dijon possède huit tableaux de lui; on en retrouve un autre à Rome, au palais Corsini.

### 1786.

*Deux vues de port de mer*; gouache. (Cabinet de M. Bazan.)

115. LAMBERT (*Jean-Baptiste-Ponce*), peintre en miniature, élève d'Augustin, a exposé au Louvre en 1795, 1796, 1801, 1802 et 1812.

#### SALON DE LA CORRESPONDANCE 1782.

*Jeune femme assise dans un paysage, vêtue d'une gaze très-fine, à qui l'Amour vient dérober des roses qu'elle porte sur les genoux; pastel.*

116. Lantara (*Simon-Mathurin*), peintre paysagiste et graveur, élève d'un peintre de Versailles dont le nom est demeuré inconnu jusqu'à ce jour, est né dans le petit village d'Oncy, près d'Etampes (Seine-et-Oise), le 24 mars 1729; il est décédé à l'hôpital de la Charité, à Paris, le 22 décembre 1778; nous avons le premier fait cesser les incertitudes qui existaient sur bien des points de la vie privée de cet artiste, si peu connue; nous renverrons donc le lecteur à notre ouvrage (1), et nous nous renfermerons dans le cadre que nous avons adopté pour les autres exposants du *Salon de la Correspondance;* toutefois, il nous parait juste d'ajouter qu'à la suite de notre travail, la chaumière où est né Lantara, acquise aujourd'hui par le département de Seine-et-Oise, fut solennellement inaugurée le 6 juin 1852; le journal l'*Indicateur de Seine-et-Marne*, du 12 juin 1852 (Melun), contient dans ses quatre pages le compte rendu de cette fête artistique, à laquelle assistaient MM. Auguste Couder, Schopin, Decamps, Biard, le docteur Trousseau, Achille Morisseau, etc.; il reproduit les discours prononcés et toutes les péripéties de cette fête champêtre. Ce compte rendu est signé par M. J.-J. Champollion-Figeac, bibliothécaire du palais impérial de Fontainebleau. Le conseil municipal d'Oncy célèbre avec religion l'anniversaire du 6 juin (*la Saint-Lantara*, comme on l'appelle dans le pays), et un décret impérial a doté ce petit village, de 150 habitants, d'une foire pour ce jour-là.

Lantara n'était pas de l'Académie de Saint-Luc, mais nous le voyons exposer des tableaux et des dessins au crayon noir rehaussés de blanc, à la place Dauphine, en 1771 et 1773; M. Prosper de Baudicour a décrit (tome I, page 131) une pièce à l'eau-forte gravée par Lantara;

---

(1) Recherches historiques, biographiques et littéraires sur le peintre Lantara, avec la liste de ses ouvrages, son portrait et une lettre apologétique de M. Couder, peintre d'histoire, membre de l'Institut. — Paris, J.-B. Dumoulin, 1852, in-8°.

cet artiste a été gravé par Piquenot, Lebas, P.-J. Duret,
Godefroy, Boquet, Nicolas fils, Elvine Claris, Cl. Fessard, de Mouchy, Denis, Maillet, Roubillac; il existe plu
sieurs portraits de Lantara, l'un gravé à l'eau-forte par
M. Soliman-Lieutaud, un autre lithographié par Engelmann, où Lantara, — soit dit en passant, — est représenté *dessinant de la main gauche;* un portrait sur bois
a aussi paru dans l'Histoire des peintres de toutes les
écoles; deux portraits seulement nous paraissent authen-
tiques et sont également rares : d'abord celui gravé
à l'eau-forte par M. Bracquemond, d'après un petit
panneau à l'huile de Joseph Vernet; l'autre, gravé également à l'eau-forte par X., d'après un dessin exécuté d'après nature par l'un des neveux de Wateau.

Deux vaudevilles, l'un en 1809 (par Barré, Picard,
Radet et Desfontaines), l'autre en 1851 (par Brazier,
Merle et de Courcy), ont contribué à accréditer de
plus en plus la réputation d'ivrognerie de Lantara; une
fois de plus nous nous inscrivons en faux contre cette
prétention, en nous appuyant sur des autorités respectables, celles du chevalier Lenoir et du marquis de La
Renommière, qui ont connu Lantara; tout récemment
encore, un habitant de Montargis a fait représenter sur
le théâtre d'Orléans une pièce qui tend à perpétuer des
faits erronés et qui cependant ont été démentis avec
pièces à l'appui. Laissons donc dormir en paix le pauvre
berger d'Oncy; rendons justice à son talent, et au lieu
d'en faire un ivrogne, reconnaissons seulement qu'il
avait plus de *savoir* que de *savoir-faire.*

SALON DE LA CORRESPONDANCE. 1785. (Exposition posthume.)

*Paysage dans l'instant d'une belle matinée.* — *Paysage à l'instant du
coucher du soleil.*

117. LATOUR (*Maurice-Quentin* de), peintre et pastelliste, né à
Saint-Quentin, le 5 septembre 1704, mort dans sa ville

natale le 17 février 1788; il était élève de Dupouch, fut agréé à l'Académie en 1737 et reçu académicien le 24 septembre 1746, sur le *portrait de J. Restout;* il donna en outre le 31 octobre 1750, *le portrait de Dumont le Romain;* tous les deux sont au Musée du Louvre (Desins) ; ajoutons qu'il a figuré aux Salons de 1737, 1738, 1739, 1740, 1741, 1742, 1743, 1745, 1746, 1747, 1748, 1750, 1751, 1753, 1755, 1757, 1759, 1761, 1763, 1769 et 1773. Nous ne nous étendrons pas sur le compte de cet artiste, après les excellentes monographies qui lui ont été consacrées, et surtout celle de M. Champfleury (Paris, Dumoulin, 1855, in-8°). Nous indiquerons seulement la part qu'il a prise au Salon de la Correspondance.

## 1780.

*Portrait de M. Savalette,* père de M. Savalette, garde du trésor royal. (H. 21 po. 1/2. L. 18 po.)

## 1782.

*Portraits de M. et de Mᵐᵉ de Mondonville.* (Pastel du cabinet de M. de Mondonville fils.)

Lorsque ces portraits parurent au Salon, ils donnèrent lieu à ce quatrain :

> C'est Mondonville trait pour trait:
> Pour Latour quel nouveau trophée!
> On croirait voir Orphée
> Dont Apelle a fait le portrait.

« Issu de capitouls à Toulouse, en 1533, Mondonville naquit à Nar-
« bonne en 1707 et fut fait maître de la chapelle du roi. Ses ouvrages
« sont différents motets, plusieurs opéras: *Titon et l'Aurore; le Carnaval*
« *du Parnasse; l'Amour et Psyché; Daphnis et Alcimadure;* son goût pour
« la musique était tel, qu'il joua à dix ans, à livre ouvert, les sonates
« de Leclerc, que les musiciens mêmes étaient obligés d'étudier. Etant
« encore fort jeune, il vint à Paris, où Rameau lui présenta une parti-
« tion qu'il joua avec tant d'intelligence, que celui-ci lui dit : Mon ami,
« vous commencez par où les maîtres finissent: vous serez un grand
« homme; et Rameau, par la suite, ne le nommant plus Mondonville, di-
« sait de lui : *Cet homme ne m'a pas trompé.* » (Lablancherie.)

Bien que nous ne nous soyons pas engagé à écrire la vie des musiciens, il nous est impossible de ne pas regretter que Pahin de Lablaucherie, qui le pouvait, ne se soit pas préoccupé de nous laisser des documents positifs sur un artiste dont il avait cependant compris la valeur. Laborde, Fétis, Fontenai, Fayolles, le *consciencieux Beffara* lui-même ne s'accordent ni sur la date de la naissance, ni sur celle de la mort de Mondonville, qu'on fait naître en 1711, en 1715 (24 décembre), et mourir en 1772 ou 1773 (8 octobre), à sa maison de campagne de Belleville.

### 1787.

*Portrait de l'auteur, en Démocrite.* (Esquisse au pastel du cabinet de M. de Montjoie, peintre.) *Portrait de capucin.* (Pastel du même cabinet.)

118. LEBRUN (Madame), née VIGÉE (*Marie-Louise-Élisabeth*), née à Paris, le 16 avril 1755, décédée dans la même ville le 30 mars 1842 ; élève de son père, peintre de portraits qui était professeur à l'Académie de Saint-Luc, et de Briard, elle reçut en outre les conseils de J. Vernet et de Greuze ; elle avait épousé fort jeune Lebrun(J.-B.-P.), peintre et marchand de tableaux, mais les deux artistes divorcèrent dans la suite. Madame Lebrun était membre de l'Académie de Saint-Luc de Paris et prit part à l'Exposition de 1774; elle était membre aussi des Académies de Rome, d'Arcadie, de Parme, de Bologne, de Saint-Pétersbourg, de Berlin, de Genève, de Rouen et d'Avignon; elle fut reçue, le 7 juin 1783, membre de l'Académie royale de peinture et sculpture de France, sur un tableau représentant la *Paix ramenant l'Abondance*, qu'on voit au Musée du Louvre ; elle a exposé pendant les années 1783, 1785, 1787, 1789, 1791, 1798, 1802, 1817 et 1824; on voit de ses œuvres un peu ·partout, sans parler des collections particulières : ainsi au Louvre, à Versailles, aux Musées de Blois, de Rouen, d'Avignon ; dans les galeries de Darmstadt, du vieux château de Schwerin, de Madrid, de Stockholm, de l'Ermitage, à la galerie des Uffizi à Florence. Ses tableaux ont été souvent reproduits par le burin, notam-

ment par Bartolozzi, Alex. Tardieu, Masquelier, Muller. Nous rappellerons qu'elle a laissé des mémoires (Paris, 1835, 3 vol. in-8°) qu'on ne saurait trop lire, et un poëme : l'*Amour des Français pour leur Roi*, 1774, in-4°. Quant à son portrait, il a été fait bien des fois par elle-même et par d'autres artistes.

SALON DE LA CORRESPONDANCE. 1779.

*Tête de femme de fantaisie.* Ovale d'un pied 4 po. de h. sur 17 po. de l.

### 1781.

*Jeune femme à mi-corps, respirant amoureusement l'odeur d'une rose;* pastel. — *Portrait de M. le comte de Cossé*, l'un des protecteurs de *la Correspondance.* Sylvain Maréchal improvisa à ce sujet les vers suivants :

> C'est lui-même ! voilà ses traits nobles, aimables,
> Dignes des héros ses aïeux !
> Voilà son souris gracieux
> Son geste aisé, ses airs affables ;
> Et son âme sensible est peinte en ses regards.
> Sur la toile, Cossé respire...
> Bienfaiteur éclairé des arts,
> Dans ce beau Muséum, oui, pour te reproduire
> Minerve de Lebrun emprunta les pinceaux :
> Les arts te devaient cet hommage...
> Venez tous à l'envi couronner son image,
> Artistes amis et rivaux :
> A votre tour, aimables Grâces,
> Venez, accourez sur leurs traces :
> Ornez de guirlandes de fleurs
> Le chef-d'œuvre éloquent de l'une de vos sœurs.

### 1782.

*Son portrait à l'huile.*

### 1785.

*Portrait de M. le duc de Brissac, gouverneur de Paris, en habit de cérémonies;* pastel. (Du cabinet de M. le comte de Cossé.) — *Buste de Diane,* exécuté en 1777. (Du cabinet de M. le comte de Cossé.)

Madame Lebrun a laissé une œuvre considérable et nous apprend dans ses mémoires qu'elle n'a pas composé moins de 662 portraits, 15 tableaux et près de 200 paysages.

119. LECLERC, sculpteur, à la Couronne des Cœurs, au coin du Grand-Châtelet, rue de Gèvres.

### 1779.

*Tableau allégorique à la gloire de Voltaire;* sculpté en ivoire. (H. 18 po. L. 14 po.) Le buste de Voltaire est élevé sur un piédestal au devant duquel un Amour écrit l'inscription *Viro immortali;* le buste d'Henri IV, différents rouleaux de papier avec les titres des ouvrages du poëte, annoncent toutes ses productions.

120. LEFÈVRE, peintre, rue Neuve des Bons-Enfants, maison de M. d'Ennery. Nous pensons que c'est le même qui a exposé à l'Académie de Saint-Luc en 1753, 1756, 1762, 1764 et 1774, et qui était fils de l'ancien directeur de cette Compagnie.

### 1779.

*Portrait de Louis XIV;* miniature à l'huile. (H. 17 lig. L. 14 lig.) — *Gaston de France.* (H. 15 lig. L. 13 lig.) — *Portrait d'homme,* d'après L. Champagne. (H. 20 lig. L. 16 lig.) — *Portrait de femme.* (H. 22 lig. 17 lig.) — *Portrait d'un jeune homme,* d'après nature. (H. 20 lig. L. 17 lig.)

121. LEHRNER, sculpteur.

### 1781.

*Médaillon de M. Kymli;* en cire.

122. LEMOINE (*Jacques-Marie-Antoine*), peintre, élève de Delatour, est né à Rouen; il est décédé à Paris le 7 février 1824, à l'âge de 72 ans et demi, veuf d'Agathe-Françoise Bonvallet; il était membre de l'Académie de Saint-Luc et figura à son exposition de 1762; il a exposé au Louvre en 1795, 1796, 1798, 1800, 1804, 1806, 1810 et 1817. Au nombre de ses envois se remarquait son portrait en 1796 et 1800.

#### SALON DE LA CORRESPONDANCE. 1783.

*Portrait de Madame Lebrun, assise sur un rocher dans un paysage;* lavé à l'encre de Chine.

123. LEMOINE (*Marie-Victoire*, Demoiselle), peintre, née à Paris
en 1754, élève de Ménageot, décédée dans la même ville
le 2 décembre 1820; elle a pris part aux Salons de
1796, 1798, 1799, 1802, 1804 et 1814.

1779.

*Portrait de Madame la princesse de Lamballe*; ovale. (H. 21 po.
L. 12 po.)

1785.

*Tête d'enfant avec un petit chapeau.*

124. LEMORT, peintre.

1787.

*Le portrait du marquis de Condorcet*; a été gravé par de Saint-Aubin.

125. LEMOYNE (*Jean-Baptiste*), sculpteur, fils de Lemoyne ainé,
est né à Paris le 15 février 1704, et est décédé dans la
même ville le 25 mai 1778; avant d'aller plus loin, qu'on
nous permette une petite observation sur les Lemoyne,
qu'on confond souvent entre eux. Lemoyne (Jean), peintre
décorateur de l'Académie, né en 1638, mort en 1713,
académicien en 1681, eut deux fils : 1° *Jean-Louis*,
sculpteur, dit l'ainé, né en 1665, académicien en 1703,
mort en 1755; 2° *Jean-Baptiste*, dit le jeune, né en
1683, reçu académicien le 31 août 1715, sur *la Mort
d'Hippolyte* que possède le Louvre, mais que le *Catalogue des sculptures modernes* (édition de 1855) attribue à
tort au Jean-Baptiste qui nous occupe. Comme il résulte
de l'inspection des registres de l'Académie, notre Jean-
Baptiste Lemoyne est fils de Jean-Louis, dit l'ainé, et
neveu de Jean-Baptiste, dit le jeune. Il était, par sa
mère, petit-fils du peintre de fleurs Jean-Baptiste Mon-
noyer; il fut élève de son père et de Le Lorrain; il obtint
en 1725 le grand prix de sculpture; fut agréé à l'Académie le 29 mai 1728, sur le *Sacrifice de Polyxène sur le
tombeau d'Achille*, et reçu académicien le 26 juillet 1738,

sur *une Nymphe sortant du bain* ; il fut nommé adjoint
à professeur (2 juillet 1740), professeur (28 mars 1744),
adjoint à recteur (1er août 1761), recteur (30 janvier
1768), directeur (2 juillet 1768). Il a pris part aux
salons de 1757, 1758, 1742, 1743, 1745, 1746, 1747,
1750, 1753, 1757, 1761, 1763, 1765, 1767, 1769
et 1771. Ses principaux ouvrages sont une *statue éques-*
*tre de Louis XV*, à Bordeaux ; le *mausolée du cardinal*
*de Fleury* ; le *tombeau de Mignard*, à Saint-Roch ; une
*statue d'Apollon* en marbre pour le roi de Prusse.

On vit de lui au *Salon de la Correspondance*, en 1779,
le *buste de Pajou* (Augustin), sculpteur.

126. LENOIR (*Simon-Bernard*), peintre de portraits, était membre de l'Académie de Saint-Luc, et a pris part en cette
qualité aux expositions de 1762, 1764, 1774 ; agréé
à l'Académie royale de peinture le 27 mars 1779, il
n'est pas devenu académicien ; il a figuré aux expositions
de 1779 et 1783, et il était, en 1789, professeur à
l'école de dessin de Besançon. On voit de ses œuvres
aux Musées de Besançon et de Dijon. M. A. Taillandier
a publié dans la *Revue universelle des Arts*, tome XIII,
page 21, une courte notice sur cet artiste. Vangelisky
a gravé d'après lui le portrait du jurisconsulte Pothier,
pour l'édition de ses œuvres de 1773, in-4°. Elluin a
gravé le portrait du chirurgien Leblanc, et Saint-Aubin,
ainsi que Baquoy, celui de Lekain, que nous citons plus
bas.

### SALON DE LA CORRESPONDANCE. 1779.

Tableau à l'huile, *Henri IV armé de pied en cap*, dans la manière du
portrait de Louis XIII par Champagne. (H. 4 pi. 1/2. L. 3 pi. 1/2.) —
*Tête de Muse* ; pastel. (H. 16 po. L. 13 po.) — *Lekain dans le rôle d'O-*
*rosmane* ; huile. Il appartient aujourd'hui à la Comédie française. (H. 4 pi.
L. 3 pi.) — *Portrait de Lablancherie* ; pastel. (H. 16 po. 1/2 L. 13
po. 1/2.)

127. LEPAON (*Jean-Baptiste*), peintre et graveur, né aux envi-

rons de Paris, en 1758; élève de Casanova; décédé à
Paris le 27 mai 1785 (paroisse Saint-Sulpice), époux
de Marguerite-Cécile Doisy; il se présenta à l'Académie
royale de peinture, mais y fut refusé; il avait d'abord été
dragon (1756), et devint ensuite premier peintre du
prince de Condé; on voit de ses œuvres aux Musées de
Nantes, d'Orléans, de Versailles, au palais Bourbon et à
la galerie Lazienski (Varsovie); il a gravé une pièce à
l'eau-forte, et Lemire a reproduit d'après lui, par le burin,
le portrait du général Washington.

SALON DE LA CORRESPONDANCE. 1779.

Dessin sur papier blanc, lavé à l'encre de Chine, représentant une
*Vue des environs de Strasbourg, lors de l'arrivée de la reine en France.*
(H. 19 po. L. 41 po.) — *La Cavalerie de Fitz-James aux mains avec l'infanterie de Brunswick, pendant la guerre de Hanovre.* (H. 19 po. L. 26 po.)
— Deux autres dessins lavés à l'encre de Chine : 1° *la Bataille de Nort-
ling*, dont le tableau est exécuté dans la galerie du palais Bourbon ;
*le Combat de cavalerie de Fitz-James.* — Un dessin représentant *l'un des
trois combats de Fribourg, du grand Condé.* (H. 22 po. L. 57 po.)

1782.

*Un Camp;* grand tableau. — Deux paysages avec figures : 1° *la Vue
d'une plaine au coucher du soleil, avec des groupes de cavaliers sous les
arbres;* 2° *un défilé de dragons dans un chemin entre des rochers.*

1783.

*Le général Washington au devant de sa tente, foulant aux pieds le bill du
parlement d'Angleterre contre l'indépendance d'Amérique, et tenant la déclaration de ladite indépendance.* (Du cabinet du marquis de La Fayette.)

128. LEPRINCE (*Jean-Baptiste*), peintre et graveur, naquit à Metz
en 1753 et mourut le 30 septembre 1781, à Saint-
Denis-du-Port, près Lagny-sur-Marne; il était élève de
Boucher et fut reçu académicien le 23 août 1765, sur
un *Baptême suivant le rit grec*, qui est au Ministère de
la justice. L'Académie de peinture lui acheta, en 1769,
le procédé à l'aide duquel il lavait sur cuivre avec l'eau-
forte et le pinceau, comme on lave un dessin sur le papier

avec le bistre ou l'encre de Chine. On voit des œuvres
de Leprince en Russie, où il séjourna cinq années, aux
Musées du Louvre, de Nancy, de Rouen, de Toulon; son
œuvre comme graveur est considérable; il a pris part
aux salons de 1765, 1767, 1769, 1771, 1773, 1775,
1777, 1779 et 1781; il a été gravé par Baquoy, Delaunay, Bonnet, Demarteau, Godefroy, Gaillard, Helman,
Henriquez, Liénard, de Longueil, Marni, Parizeau, Saint-
Aubin, Tilliard, Leveau et Varin. — M<sup>me</sup> Legras, son
élève, a fait son portrait, et le graveur Miger avait composé les vers suivants pour placer au bas :

> De cet aimable maitre en prenant les leçons,
> J'ai voulu de ses traits avoir la ressemblance;
> Il respire à mes yeux, mais, faible jouissance...
> Car pour peindre son cœur on n'a pas de crayons.

SALON DE LA CORRESPONDANCE. 1782.

Grand tableau représentant *un paysage avec figures d'hommes et d'ani-*
*maux.*

129. Lorrain, peintre, quai et près la porte Saint-Bernard; serait-ce le même artiste dont le Musée de Montpellier
possède *une Sainte* et que le catalogue désigne sous le
nom de Lorin?

1779.

Dessin au crayon de différentes couleurs, représentant *un portrait de*
*femme;* ovale. (H. 6 po. L. 6 po.)

130. Lorta (*Jean-Pierre*), sculpteur, naquit à Paris, en 1755;
il était élève de Bridan père, et remporta en 1779 le
deuxième prix dont le sujet était : *Sertorius assassiné*
*au milieu d'un repas chez Perpenna;* on voit de ses
œuvres aux musées du Louvre et de Nancy, et il a figuré
aux Salons de 1791, 1793, 1795, 1798, 1800, 1802,
1804, 1810, 1812, 1814, 1817 et 1819.

1781.

*Buste grandeur nature, représentant M. Maréchal, maitre de clavecin.* —

*Petite tête d'enfant.* — *Vénus pressant d'une main contre son sein les traits de l'Amour, tandis que, de l'autre, elle pose sur la tête de l'Amour une couronne de fleurs.* — *Vierge en plâtre.* (H. 4 p. 1/2.) C'est le modèle de celle que l'artiste exécuta en marbre, aux frais du cardinal de Luynes, pour la cathédrale de Sens ; la Vierge est représentée debout ; elle tient sur le bras gauche l'enfant Jésus endormi. — *Buste de M. de Sauvigny, censeur de la police;* au bas se lisaient ces vers :

> Chantre heureux d'Hyascar et de Blanche Bazu,
> Tour à tour gracieux, énergique, ingénu,
> Ses écrits et ses mœurs annoncent le courage
> Qui brave également l'intrigue et l'esclavage.
> Sur des titres plus beaux son nom est appuyé :
> Il sait peindre et sentir l'amour et l'amitié.
>
> Par M. l'abbé de S.....

1782.

Figure en marbre d'un pied de proportion, représentant *l'Amitié assise, posant de la main droite une couronne de fleurs sur deux colombes.* — *Buste du Val d'Ajol, chirurgien renoueur.* Son véritable nom était Fleuriot, auquel on avait substitué celui de sa résidence. (Le nᵒ XXIII, 19 juin 1782, des Nouvelles de la République des lettres et des arts, contient une lettre du comte de Tressan, gouverneur de Lorraine, qui est par le fait la biographie de Fleuriot.)

131. Louis (*Victor*), architecte, né à Paris en 1735, est mort à l'hôpital, le 7 mars 1807 ; on connaît très-peu de chose sur la vie de cet artiste ; il remporta en 1755 le premier prix d'architecture, dont le sujet était une *Chapelle sépulcrale ;* il reçut un prix hors rang, une médaille d'or et pension de Rome, à cause de la supériorité de sa composition ; il a bâti à Varsovie un palais pour le roi de Pologne ; on lui doit la façade de l'église de Dunkerque, et il restaura en 1761 l'église de Bon-Secours, rue de Charonne ; on peut voir dans l'*Observateur littéraire* de l'abbé Delaporte (tome V, p. 64-72, année 1761) la lettre qu'y inséra Louis, en réponse aux attaques dont il avait été l'objet de la part de l'Année littéraire ; son plus grand titre de gloire est la construction du théâtre de Bordeaux. Il a paru en 1858, chez

M. Dumoulin, libraire, à Paris, Douze lettres de Victor
Louis, architecte du roi de Pologne et du duc de Chartres, auteur du grand théâtre de Bordeaux, 1776-1777.
Nous y renvoyons nos lecteurs. Son buste, exécuté par
Maggesi, a été inauguré à Bordeaux en 1834; Varin a
gravé d'après Louis un plan d'une place de Louis XVI
à Bordeaux, conformément aux lettres patentes du mois
d'août 1785, enregistrées le 9 septembre suivant. Nous
connaissons également, à la date de juillet 1784, une
élévation géométrale de la façade de l'intérieur du
jardin du Palais-Royal; Ch. Motte a aussi lithographié
d'après Louis.

### SALON DE LA CORRESPONDANCE. 1785.

*Plan de la nouvelle place que l'on va construire sur le port à Bordeaux,*
d'après les dessins de M. Louis, architecte de S. A. S. Mgr d'Orléans.

« La superbe place qui s'érige à Bordeaux, sur les ruines d'une inu-
« tile forteresse, le Château-Trompette, a dit M. de Calonne dans son
« discours à l'assemblée des notables, procurera les communications les
« plus intéressantes, en même temps qu'un des plus beaux points de vue
« de l'univers; en voici la description : elle sera formée par un demi-
« cercle de 150 toises de diamètre, dont les deux extrémités se termine-
« ront par deux parties droites, parallèles au quai, d'environ 60 toises de
« longueur chacune; la profondeur sera de 120 toises et la circonfé-
« rence de 265; elle sera divisée en 15 arcs de triomphe qui donneront
« issue à 15 rues de 54 pieds de largeur, toutes divergentes et tendantes
« au centre de la place, où sera élevée une colonne colossale, monument
« qui rappellera celles de Trajan et d'Antonin. La statue du Roi sera
« élevée au-dessus de la colonne, d'où elle pourra être vue de toutes les
« parties de la ville. La hauteur de cette colonne, de son piédestal et de la
« statue de Sa Majesté, sera d'environ 180 pieds, et son diamètre de 15;
« elle sera décorée de bas-reliefs, et de tous les attributs qui caractéri-
« sent les vertus bienfaisantes de notre auguste monarque.

« La décoration des bâtiments qui formeront la place offrira la plus
« grande magnificence. Les arcs de triomphe seront ornés chacun de
« quatre colonnes isolées, d'ordre composite, formant trois ouvertures
« qui prendront toute la largeur, sur environ 66 pieds de hauteur sous
« le milieu de l'arc. Les deux ouvertures latérales seront pour le pas-
« sage des gens de pied; elles auront la distance d'un entre-colonnement
« et toute la hauteur de la colonne et de son piédestal. »

(LABLANCHERIE.)

**132.** Loutherbourg (*Philippe-Jacques*), peintre, élève de Casanova, naquit à Strasbourg le 30 octobre 1740 et mourut
à Londres en 1813 ; il fut agréé à l'Académie royale de
peinture le 25 juin 1763, sur le tableau ci-dessous,
exposé au Salon de la Correspondance ; il fut reçu académicien le 22 août 1767 sur un *tableau de bataille* ; il
a pris part aux Salons de 1763, 1765, 1767, 1769,
1771 et 1779 ; on voit de ses ouvrages aux musées de
Nantes, du Belvédère, à Vienne, et dans la galerie de
Darmstadt.

### 1783.

Grand tableau représentant *un paysage avec figures d'animaux* (Du cabinet de M. Joubert, trésorier des états du Languedoc.)

**133.** Lussaut', architecte. Nous savons fort peu de chose sur
son compte ; il remporta, en 1769, le 2ᵉ prix dont le
sujet était : *Fête publique pour un prince*, et en 1772,
le 1ᵉʳ grand prix de Rome, sur un *Palais pour un prince
du sang ;* son fils et son élève, Pierre-Marie, naquit à
Paris en 1785 ; il était architecte à Lorient et y a exécuté
de nombreux travaux dont Gabet a donné le détail dans
son Dictionnaire des artistes.

#### SALON DE LA CORRESPONDANCE. 1781.

*Deux coupes d'une chapelle, à l'imitation de celle de la Minerve, à Rome,
exécutées à Toffia, dans la Sabine, lavées à l'encre de Chine.* (H. 1 pi. 4 po.
L. 1 pi. 1/2).

Machy (de). Voyez : Demachy.

**134.** Maillier, architecte. Nous ne savons rien autre chose sur
son compte si ce n'est qu'il est l'auteur de l'*Architecture, poëme en trois chants. Paris*, 1780, in-8°.

### 1781.

*Élévation et plan d'une salle d'opéra.*

**135.** Marchand, sculpteur, élève de Boizot, rue Poissonnière, première porte cochère après les Menus-Plaisirs du roi, chez M. Boizot, sculpteur du roi.

### 1779.

*Buste d'Henri IV, en marbre.* — *Buste de Voltaire,* en marbre, d'après Houdon. —Buste en marbre, représentant la *Petite boudeuse.* (H. 18 po.)

136. MARTIN, sculpteur, au collège des Trésoriers, près la porte Sorbonne.

### 1785.

*Buste de Linné.*

137. MARTIN (Guillaume), peintre, né à Montpellier en 1737, mort à Paris le 2 messidor an VIII (5 juin 1800.) Élève de Vien, il fut agréé à l'Académie de peinture en 1771, mais ne devint pas académicien; le graveur Wille nous apprend dans ses mémoires que Martin s'étant présenté le 25 avril 1789 avec un tableau, pour être reçu académicien, fut refusé par le scrutin; il s'occupa depuis cette époque presque exclusivement du commerce de tableaux; il a figuré aux Salons de 1771, 1773, 1775, 1777, 1781, 1783, 1785, 1787, 1796 et 1798; on lui doit une pièce imprimée devenue rare, qui a pour titre : *Avis à la Nation sur la situation du Muséum national.* Paris (s. d.), in-8° de 49 pages.

### SALON DE LA CORRESPONDANCE 1782.

*Danaé et Jupiter tombant en pluie d'or.* — *Vieillard en costume de juif polonais, se reposant sur un bâton.* — *Guerrier renversé après le combat.* (Précédemment exposé au Louvre en 1776.)

138. MARTIN (*Jeanne,* demoiselle), fille du précédent; âgée de 12 ans.

### 1787.

Pastels : *la Peinture; la Sculpture,* d'après Carle Vanloo; *une Madeleine* d'après Rubens; *une Vierge* d'après Dolce; *un petit Savoyard* d'après nature.

« Quoique fille de peintre, — fait remarquer Lablancherie, — on as-

« sure qu'elle ne doit qu'aux études qu'elle a faites seulement depuis
« 18 mois, de son propre mouvement et sans maître, les succès dont elle
« donne ici les preuves. »

Nous ajouterons que cette enfant précoce fut enlevée à sa famille
le 2 décembre 1778, à l'âge de 14 ans ; présentée à l'église Saint-Sulpice,
elle fut ensuite transportée par le clergé de cette paroisse en la chapelle
des Dames religieuses du Petit Calvaire de la rue de Vaugirard.

139. MAUPERIN, peintre, membre de l'Académie de Saint-Luc,
à l'exposition de laquelle il a figuré en 1774 ; nous le
retrouvons à celles du Louvre en 1791, 1793, 1800 et
1801 ; A. Paillet a rédigé en 1780 le catalogue de vente
de son cabinet ; nous connaissons deux pièces gravées de
Mauperin d'après Hubert, et que nous sommes tout disposé à attribuer à l'artiste qui nous occupe.

SALON DE LA CORRESPONDANCE. 1782.

*Portrait de M. l'évêque de Seram, de la maison des Missions étrangères.
— Le propre portrait de l'artiste. — La Madeleine, d'après le tableau de
Lebrun. (Destiné à la cathédrale de Beauvais.)*

1785.

*Portrait de l'abbé Maury, de l'Académie française, occupé à écrire.*

140. MAYER, peintre, né à Strasbourg en 1737, décédé le
5 juin 1779, au château d'Ermenonville (Oise), était
élève de Casanova ; Dupréel a gravé d'après lui un
*portrait en pied de J.-J. Rousseau venant d'herboriser en
1778.*

SALON DE LA CORRESPONDANCE. 1779.

*L'île où est enterré J.-J. Rousseau, à Ermenonville.* (H. 1 pi. 1/2. L. 23 po.)
Paysage à l'huile, *un Paysan conduit au dehors d'une forêt une voiture
de bois au moment du crépuscule du soir.* (H. 16 po. 1/2. L. 18 po.) *Plaine
traversée par une rivière où vont s'abreuver des animaux;* (gouache.
(H. 7 po. L. 9 po. 1/2.) — *Vue des environs du château d'Ermenonville.*
(H. 5 pi. 1/2. L. 4 pi. 1/2.) Sur le premier plan du tableau est une jeune
fille assise près d'une fontaine, où se viennent abreuver des chevaux, des
vaches, des moutons; sur un plan plus éloigné est un jeune homme qui

l'appelle ; en perspective, un pont, des arbres, des rochers forment et
ornent ce paysage. — *Paysage où se voient, avec des rochers, un berger et
sa femme assis, gardant le bétail au pâturage.* (II. 1 pi. 10 po. L. 2 pi. 1/2 )

141. Michel (*Sigisbert-François*), plus connu sous le nom de
   *Sigisbert,* naquit à Nancy, paroisse St-Sébastien ; il
   mourut célibataire à Paris, le 21 mai 1811, âgé de
   83 ans ; il était fils de Thomas Michel et d'Anne Adam,
   et frère aîné de Claude-François Michel, dit *Clodion* (1).
   Sigisbert était sculpteur du roi de Prusse ; il succéda à
   Adam en cette qualité (1764) ; il quitta Berlin en 1770,
   après avoir exécuté divers travaux, notamment une *statue
   de Mars* pour Sans-Souci ; il eut des difficultés avec
   le roi de Prusse au sujet de la rémunération de ses
   ouvrages, et les Archives de l'Art français (Documents,
   tome I, pp. 177-180) ont imprimé une requête du sculpteur qui explique toute cette affaire. Sigisbert était
   membre de l'Académie de St.-Luc : il y a exposé en 1774
   le *Temple des Grâces;* il a figuré aux Salons du Louvre
   de 1791, 1795, 1799 et 1800.

SALON DE LA CORRESPONDANCE. 1779.

*Un buste du roi de Prusse* (1764), en talc. Un petit modèle en terre
cuite, représentant *les trois Grâces.* (II. 3 po.) — *Une Vénus endormie,*
dans le goût de l'antique et en terre de Saxe. (Long. 15 po. Larg. 8 po.)
— Statue représentant l'Amour qui échauffe un trait au feu de son flambeau. (2 pi. 1/2 de proportion.) *La Vénus de Médicis; Vénus sortant du
bain.* (H. 2 pi.). (Ces trois statues, en terre de Saxe, proviennent du
cabinet de M. le vicomte de Ségur.)

142. Michel, frère de MM. Clodion et Sigisbert, sculpteur, rue
   d'Anjou St-Honoré, chez M. du Cluseau, avocat.

1781.

*Lampe dans le goût de l'antique, représentant l'Étude sous la figure d'une
femme qui lit,* marbre. (H. 1 pi. 2 po. L. 1 pi. 2 po.) — *Nayade;* en terre

(1) Claude Michel, dit Clodion, natif de Nancy, est décédé, âgé de 75 ans,
le 28 mars 1814, à Paris, à La Sorbonne, divorcé de Catherine-Flore Pajou.

cuite. (H. 1 pi. 5 po.) — *Jeune satyre, tenant de la main droite un petit chien qui veut s'échapper, de la main gauche un thyrse ;* terre cuite. (1 pi. 1 po.) — *Iris, messagère des dieux, enlevant l'Amour ;* bas-relief en terre cuite. (H. 1 pi. 6 po. L. 1 pi. 2 po.) — *Satyre portant une bacchante qui s'appuie sur son enfant ;* bas-relief en terre cuite. (H. 1 pi. 1 po. L. 9 po. 1/2.) — *Faune tenant une bacchante sur ses genoux, pressant une grappe de raisin sur la tête d'un enfant ;* bas-relief en terre cuite. (H. 1 pi. 1 po. L. 9 po. 1/2.) — *Deux petits bas-reliefs, représentant des femmes nues qui jouent avec des enfants.*

### 1782.

*Figure en marbre, représentant un petit satyre qui court avec des flèches, emportant un hibou.* (Exécuté d'après une esquisse de son frère Clodion.)

### 1785.

*Groupe de quatre figures, représentant une jeune bacchante enivrée par un faune, soutenue par une de ses compagnes qui tient un enfant. — Groupe représentant un satyre pressant une grappe de raisin, portant sur son genou une jeune fille qu'il regarde avec l'expression du désir, tandis qu'elle ne s'occupe que d'un enfant qui mange du raisin. — Autre groupe : Jeune femme exprimant le jus d'un raisin dans une coupe pour un enfant. — Psyché abandonnée ;* plâtre. (H. 18 po.)

143. MILLION ou MILLON, chez M. Osmon, architecte, quai Pelletier.

### 1782.

Portrait à l'huile de Mᴵᴵᵉ de Cossé, fille du marquis de Cossé, d'après un pastel de M. Hall.

144. MOITTE (*Jean-Guillaume*), sculpteur, né à Paris, le 11 novembre 1746, mort dans la même ville, le 2 mai 1801 ; élève de Pigalle et Lemoyne ; 1ᵉʳ grand prix en 1768, sur *David portant la tête de Goliath en triomphe ;* agréé à l'ancienne Académie royale de peinture en 1785, il ne devint pas académicien, mais il fut professeur à l'école des arts, membre de l'Institut et chevalier de la Légion d'honneur ; il a pris part aux Salons de 1783, 1785, 1787, 1789, 1791, 1810, et la même année à l'exposition des prix décennaux. Le Musée d'Alençon possède trois

de ses dessins; il a été gravé par Ride, Perdriaux,
P.-M. Alix, C. Normand, Chataignier, Blot, Dupréel,
L. Duval, Dien, Velyn, Janinet, Deny ; Fremy a gravé
son buste d'après Gatteaux (J.-Ed.)

SALON DE LA CORRESPONDANCE. 1779.

*Bas-relief, en terre cuite, représentant une bacchante endormie.*
(H. 7 po. 12. L. 1/2 po. 1/2.)

145. Mongin (*Pierre-Antoine*), peintre de genre et de paysages
à la gouache, né à Paris ; élève de Doyen et de Vincent ;
Dutailly de Lyon a été quelquefois son collaborateur et a
fait les personnages de ses paysages ; on lui doit un
commencement de cours complet de paysages, lithographié d'après ses dessins par Engelmann et dont il
parut quelques livraisons in-folio en 1816. Le Musée de
Versailles possède de ses œuvres et la galerie Gavard a
reproduit notamment : *l'Armée française traversant le
défilé d'Albarédo.* — Mongin a figuré aux Salons de
1791, 1793, 1795, 1798, 1799, 1800, 1801, 1802,
1806, 1808, 1810, 1812, 1814, 1817, 1819, 1822
et 1824.

SALON DE LA CORRESPONDANCE. 1781.

Tableau représentant *M. Martin, professeur et doyen des écoles de
droit, revêtu des habits de son état, travaillant dans son cabinet.*

146. Monsiau (*Nicolas-André*), peintre d'histoire, né à Paris en
1754, y est décédé (à l'Institut), le 31 mai 1837, époux
d'Alexandrine-Marie-Louise Daucourt ; il était élève de
Peyron et fut agréé à l'Académie, le 30 juin 1787, sur :
*Alexandre domptant Bucéphale* ; il fut reçu académicien, le 3 octobre 1789, sur : *la Mort d'Agis* ; il a pris
part aux Salons de 1787, 1789, 1791, 1793, 1798,
1800, 1801, 1802, 1804, 1806, 1808, 1810, 1812,
1814, 1817, 1819, 1822, 1824, 1827 et 1833 ; il a
fourni les dessins pour la *traduction des Métamorphoses*

9

*d'Ovide*; on voit de ses œuvres aux Tuileries, à Versailles, Trianon, Fontainebleau, dans l'église de St.-Denis, au Musée de Lille; il a été gravé par Baquoy, Delaunay, Dambrun, Ruotte, C. Normand, Brion, Perdrieau, Clément, L.-J. Cathelin, N. Ponce. F. Demouchy, C.-L. Lingée, Patas, Delignon, R. Delvaux, Malbète, L. Pauquet, Dupréel, Anselin, P.-P. Choffard, Bovinet, V. Langlois, L.-M. Halbou, Aug. de Saint-Aubin; il a été lithographié par Langlumé.

SALON DE LA CORRESPONDANCE. 1781.

*Paysage :* Des femmes jouent; un satyre les regarde.

1782.

*Étude :* Effet piquant de la lueur d'une lampe.

147. MONTJOIE (de), peintre, élève de Delatour, a exposé à la place Dauphine en 1769, 1770, 1772 (son propre portrait), 1773 et 1788; il a figuré au Louvre en 1793.

SALON DE LA CORRESPONDANCE. 1787.

26 portraits au pastel et à l'huile.

148. MONSUISSE, peintre.

1782.

*Vue du bois de Boulogne.*

149. MOREAU (*Jean-Michel*) *le jeune*, dessinateur et graveur, naquit à Paris en 1741 et mourut dans la même ville le 30 novembre 1814; il était élève de Lelorrain et de Lebas ; il fut agréé à l'Académie royale de peinture, le 29 avril 1780, sur le dessin du Sacre de Louis XVI, gravé par lui-même, et reçu académicien, le 25 avril 1789, sur un dessin représentant Tullie qui fait passer son char sur le corps de son père; il avait accompagné, n'étant âgé que de 17 ans, Lelorrain en Russie, quand ce dernier fut nommé directeur de l'Académie des Beaux-Arts de Saint-Pétersbourg, et lui-même ne tarda

pas à être nommé professeur de dessin dans la même
Académie. Il fut fait en 1770 dessinateur des Menus
Plaisirs du roi; en 1797, il fut fait professeur aux écoles
centrales, et il obtint en 1810 une médaille de 1re classe;
il a figuré aux Salons de 1781, 1783, 1785, 1787, 1789,
1791, 1793, 1796, 1798, 1801, 1802, 1804, 1806,
1808, 1810 et 1817 (posthume); il avait, dès 1761,
exposé des dessins à la place Dauphine; son œuvre,
outre ce qu'il a exécuté comme dessinateur du roi, se
compose de plus de deux mille pièces gravées soit
par lui-même, soit d'après ses dessins; les suites les
plus célèbres sont celles dessinées pour Mably, Montesquieu, Raynal, Rousseau, Lafontaine, Racine, *Télé-
maque*, les lettres d'Héloïse Gessner, les Lettres à Emilie,
Molière, Voltaire; le Nouveau Testament, les Épîtres,
l'Histoire de France. Le cabinet des estampes de la
Bibliothèque impériale a recueilli son œuvre dans cinq
volumes; en tête du premier, se trouve une intéressante
notice sur Moreau jeune, écrite par sa fille, épouse de
Carle Vernet et mère d'Horace Vernet; elle a été
imprimée dans les Archives de l'Art français (Documents,
tome Ier, pp. 183-190). — Son portrait a été gravé par
Aug. de Saint-Aubin, d'après C. N. Cochin.

SALON DE LA CORRESPONDANCE. 1783.

Dessin au bistre représentant *le Couronnement de Voltaire sur le
Théâtre-Français*. Ce dessin a été gravé par Ch. Gaucher.

150. MOUCHERON (*Frédéric*), peintre.

1779.

Tableau à l'huile représentant *des défilés de montagnes et des voleurs qui
attaquent des voyageurs*. (H. 1 pi 10 po. 6 lig. L. 4 po.)

151. MOUCHET (*François-Nicolas*), peintre d'histoire et de portraits, était élève de Greuze; il naquit à Gray (Haute-
Saône) et mourut dans sa ville natale en février 1814;

il fonda dans ce lieu une école de dessin (1794) ; il fut, à la Révolution, membre de la municipalité de Paris et plus tard juge de paix de la même ville; il fut envoyé en Belgique pour désigner les objets d'art qui devaient augmenter nos collections nationales; il a pris part aux Salons de 1791. 1793, 1795, 1796, 1799 et 1810.

SALON DE LA CORRESPONDANCE. 1782.

*Une tête d'homme* (pastel).

MOUILLEFARINE, élève de l'École royale de dessin de Troyes.

1787.

*Portail d'église* (lavé à l'encre de Chine).

152. NEBEL, peintre, rue du Temple, à côté de la rue des Gra-villiers ; nous le trouvons exposant au Louvre en 1793.

SALON DE LA CORRESPONDANCE. 1782.

*Marine représentant un naufrage.*

153. NOËL (*Alexandre-Jean*), peintre de paysages à la gouache, né à Brie-Comte-Robert, le 25 juillet 1752, élève de Sil-vestre et de J. Vernet, mort à Paris, en janvier 1834; il a été lithographié par Karle Poullet et a pris part aux Salons de 1800, 1801, 1810, 1812 et 1822.

SALON DE LA CORRESPONDANCE. 1779.

*La mort de M. l'abbé Chappe.* (H. 1 pi. 3 po. L. 21 po.) « Ce célèbre académicien est représenté au lit, au moment où, environné de quel-ques-uns de ses compagnons de voyage, de leur interprète commun et de quelques Indiens, il dit ces paroles, qui caractérisent si bien son dévouement pour les sciences. « Je sens que j'ai peu de temps à vivre, mais j'ai rempli mon objet et je meurs content. » L'artiste était un de ses com-pagnons de voyage. L'abbé Chappe avait entrepris le voyage de Sibérie pour observer Vénus sur le disque du soleil, et huit ans après, il avait fait celui auquel il succomba au cap de San Lucas, à la pointe de la Californie, pour confronter les observations que présenteraient des pays si éloignés ; de tous les Français qui l'avaient accompagné, il n'est revenu que M. Pauly, M. Noël et un domestique. »

1780.

*Deux paysages avec une vue de mer.* (H. 7 po. L. 1 pi.)

**154.** NOIRETERRE (Demoiselle de), peintre, rue Mazarine, 25, de la Société des Arts de Londres.

1785.

*Portrait de M. Reser,* peintre de paysages.

1786.

*Portrait de l'abbé Réchez,* professeur de musique pour le chant et la guitare (miniature). L'abbé Réchez exécutait sur la guitare. au Salon de la correspondance, des sonates de sa composition. — Le *propre portrait* de l'artiste (miniature). Ce fut son morceau de réception à la Société des Arts de Londres. — Le *portrait de M. Le Cauchois,* avocat à Rouen, *celui de la fille Salmon;* miniature. — Rappelons une cause célèbre à Marie-Françoise-Victoire Salmon, fille d'un journalier de la paroisse de Mantes, était entrée le 1er août 1781, à Caen, comme servante, aux gages de 50 liv. chez les époux Duparc; le 6 août 1781, le sieur de Beaulieu, vieillard de 86 ans, père de madame Duparc, mourait presque subitement au milieu de tourments affreux après avoir mangé, comme d'habitude, une assiette de bouillie. La dame Duparc faisait beaucoup de tapage et dénonçait à l'opinion publique la fille Salmon comme l'auteur de l'empoisonnement à l'aide l'arsenic. Le 18 avril 1782, elle était condamnée par sentence du tribunal de Caen à être brûlé vive; transférée dans les prisons de Rouen, elle voyait le 17 mai la sentence de Caen confirmée. La nouvelle d'une pauvre servante condamnée, à cinquante lieues de là, aux tourments les plus affreux, pour un crime invraisemblable, d'après l'instruction la plus monstrueuse parvint au trône, et soudain part de Versailles un ordre de surseoir toute exécution. M. Le Cauchois, avocat de Rouen, se chargea de la défense, et enfin, le 25 mars 1786, le Parlement de Paris, sur le rapport de M. Dionis du Séjour, rendit un arrêt qui déclara la fille Salmon innocente et l'autorisa à poursuivre ses dénonciateurs. Le portrait de Le Cauchois a été gravé par Cathelin, et nous en connaissons trois également gravés de la fille Salmon. M. Le Cauchois était un des membres du Salon de la correspondance, et nous avons retrouvé une pièce de vers de sa composition intitulée : le Buveur désespéré, qu'il lut dans la séance du 22 février 1787.

> Malheureux que je suis! O ciel! qu'ai-je donc fait?
> J'ai vendu mon pourpoint pour du bon vin clairet;
> Et voilà mon breuvage et ma cruche par terre!

Que tardes-tu, Jupin, à lancer ton tonnerre?
Sans pourpoint, en chemise, altéré, sans argent,
Gourmandé par ma femme, poursuivi d'un sergent,
Mourant de soif, mourons pour finir ma torture,
Aussi bien suis-je mort si je bois de l'eau pure.
O vous! pour qui j'éprouve un si triste destin,
Scélérats de potiers, artisans imbéciles,
Lorsque vous inventiez des vases si fragiles,
A quoi songiez-vous donc si vous aimiez le vin?

### 1787.

*Portrait de M*ᵐᵉ *Gaucher*, femme du graveur de ce nom ; miniature.

*Portrait du brave Lucot ;* miniature. Rappelons son histoire. Simon Lucot, surnommé le brave, est né à Ceintrey, en Bourgogne, en 1761 ; étant canonnier au service de la marine, il s'est trouvé en 1782 au combat de la frégate l'*Amazone* contre la *Sainte-Marguerite*, frégate anglaise, vis-à-vis la Chesapeak. Il était blessé ; le commandant l'avait engagé plusieurs fois à se retirer du combat ; un boulet de canon lui emporte le bras droit ; le capitaine le presse de nouveau de descendre au poste des blessés. « Tant qu'il me restera un bras, répond l'intrépide canonnier, je l'emploierai à la défense de ma patrie! » A ces mots, il se précipite sur sa pièce, et en la pointant, une balle de fusil lui fracasse la mâchoire inférieure. Il a eu dans cette occasion 17 blessures. Sur le compte que M. le maréchal de Castries en a rendu au roi, Sa Majesté en a fait témoigner sa satisfaction au brave Lucot par une lettre du ministre et par la décoration d'une médaille. Le brave Lucot est, dans ce moment (1787), — ajoute Lablancherie, — à Paris, chargé d'une inspection dans l'entreprise des charbons de terre. — Ce portrait inspira dans la séance du 22 mars 1787, à Ducray du Minil, dont nous nous occuperons tout à l'heure, les vers suivants :

> Si du brave Lucot vous aimez les vertus,
>    Contemplez ici son image!
>    Apollon conduisit l'ouvrage :
> Pour peindre Mars il fit choix de Vénus.

*Portrait de M. Ducray du Minil*, professeur de musique, et un groupe d'enfants dont l'un fait un château de cartes; miniature. — L'on sait que Ducray du Minil était rédacteur des Petites Affiches ; nous devons à l'obligeance de M. Anders une petite notice sur Ducray, que nous nous empressons d'utiliser ici. Ducray du Minil, François-Guillaume, naquit à Paris en 1761 et mourut à Ville d'Avray le 29 octobre 1819 ; auteur de plusieurs romans et de diverses pièces de théâtre, il se pro-

duisit aussi comme compositeur de musique, d'abord par la publication
de plusieurs recueils de romances (1), dont on trouve les titres dans
Fétis, et puis par un opéra qui, suivant Fayolle, fut joué sans succès,
en 1790, au théâtre Feydeau ; ni l'un ni l'autre de ces auteurs ne cite un
ouvrage appartenant cependant à la bibliographie musicale et intitulé :
le *Panthéon littéraire*, sous l'invocation des neuf muses, de Thémis,
d'Esculape et des trois Grâces, contenant divers morceaux curieux sur
les sciences et tous les arts utiles et agréables... A Paris et à Neuwied
sur le Rhin, chez la Société typographique, 1792, 2 vol. in-12. Chacun
des volumes contient des articles sur la musique qui ne sont mentionnés
dans aucune biographie musicale.

Ajoutons qu'on y trouve dans le tome II, pp. 186-200, une lettre sur
l'Exposition des tableaux de la place Dauphine, avec la liste des artistes
qui y ont pris part et la critique de leurs ouvrages.

*Portrait de James de Saint-Léger.* Il inspira les vers suivants à
Ducray :

> On distingue ici, tour à tour,
> Deux sentiments chers à nos âmes :
> Sous les traits du peintre l'amour,
> Et l'amitié sous ceux de James.

Terminons en disant que M^lle de Noireterre a dessiné en l'an x le
portrait de M^me Fortunée Briquet, pour placer en tête de son Dictionnaire

---

(1) Il envoya un jour à M^lle de Noireterre un exemplaire de ses romances avec
ces vers :

AIR : *Daigne écouter,* etc...

> Quoi ! vous daignez (et c'est ma récompense)
> De mes loisirs accueillir les travaux ?
> Accordez-moi toujours même indulgence,
> Et pour ma muse il n'est plus de repos.
>     Il n'est plus de repos.

> Vous l'inspirez, ce transport qui m'agite;
> Le sentiment, c'est vous qui l'excitez;
> A mes couplets si l'on trouve un mérite,
> S'ils ont du prix, c'est quand vous les chantez,
>     C'est quand vous les chantez.

> Que désormais votre image m'inspire,
> Que mes accents soient tendres et touchants !
> Le dieu d'amour doit accorder ma lyre
> Puisque sa mère applaudit à mes chants,
>     Applaudit à mes chants.

historique, littéraire et bibliographique des Français naturalisés en
France. (Paris, Treuttel et Wurtz, 1801, in-8°), et que C.-E. Gaucher
l'a spirituellement gravé.

155. NOTTÉ (*C.-J.*), rue du Four-Saint-Germain, chez M. Dela-
    porte, M<sup>e</sup> charron ; il a figuré aux Salons de 1793 et
    1795, et C.-S. Gaucher a gravé d'après lui.

### SALON DE LA CORRESPONDANCE. 1779.

*Portrait du docteur Franklin*, au crayon avec des allégories. — *Portrait
d'un abbé*, représenté en entier assis sur un fauteuil. (H. 6 pi. 6 po.
L. 5 pi. 5 po.) — *Portrait de M. le comte de Milly*, de l'Académie des
sciences. à l'huile ; (H. 1 pi. 8 po. 6 lig. L. 1 pi. 4 po. 6 lig.) — *Tableau
représentant une famille.* (H. 4 pi. L. 5 pi.)

### 1781.

*Le portrait de M. Mulot, bibliothécaire de Saint-Victor ;* vu à mi-corps,
grandeur naturelle. — *Portrait à l'huile du frère Côme,* d'après son cadavre.

### 1782.

Tableau représentant *un jeune homme dans l'attitude de l'enthousiasme de
la composition ;* vu jusqu'aux genoux ; il a près de lui une table et des
livres.

156. OLLIVIER (*Michel-Barthélemy*), peintre et graveur, né à
    Marseille en 1712, décédé à Paris, le 15 juin 1784,
    veuf d'Élisabeth Rapouillet (paroisse Saint-Merry). Il
    résida longtemps en Espagne, y fit et y laissa de nom-
    breux tableaux ; à son retour en France, il se fit recevoir
    à l'Académie de Saint-Luc, et figura à l'Exposition de
    1764 ; agréé à l'Académie royale en 1766, il ne devint
    pas académicien ; il a exposé au Louvre, en 1765, 1769,
    1771, 1777 et 1779 ; il a été gravé par Bonnet, et on
    lui doit seize pièces gravées par lui-même, qui ont été
    décrites par M. Prosper de Baudicourt, tome I. Le
    Musée de Versailles possède quatre de ses tableaux,
    mais on n'en rencontre pas à celui de Marseille.

### SALON DE LA CORRESPONDANCE. 1782.

Tableau représentant *Henri IV relevant Sully, en présence des courti-
sans, au moment où il lui dit : « Ils vont croire que je vous pardonne. »*

**157.** Orsy, sculpteur piémontais.

1787.

*Vénus faisant sa toilette au bord d'un ruisseau, servie par une nymphe négresse et ayant devant elle l'Amour désarmé;* groupe en cire coloriée d'un pied de haut.

**158.** Pajou (*Augustin*) père, sculpteur, né à Paris, le 19 septembre 1730, mort dans la même ville le 8 mai 1809 ; il était élève de Lemoine ; premier grand prix de Rome en 1748 ; agréé à l'Académie royale de peinture et sculpture (1759), académicien (26 janvier 1760), adj. à professeur (30 juillet 1762), garde des antiques du roi (1781), membre de l'Institut dès la création. Il a exposé en 1759, 1761, 1763, 1765, 1767, 1769, 1771, 1773, 1775, 1777, 1779, 1781, 1783, 1784, 1787, 1791, 1798, 1800 et 1802.

SALON DE LA CORRESPONDANCE. 1785.

*Dessin représentant une Fuite en Égypte.* (Du cabinet de M. l'abbé de Saint-Martin, conseiller au Châtelet.) — *Buste de Grétry,* envoyé pour la collection du *chef-lieu de la correspondance,* par l'abbé Rose, chanoine de Cambrai, ami de l'illustre virtuose.

**159.** Parent (*Aubert*), sculpteur en bois et architecte, naquit à Cambrai en 1754, et mourut à Valenciennes, le 27 novembre 1835. Son premier ouvrage de sculpture en bois un peu important fut offert à Louis XVI et placé dans les appartements du grand Trianon ; nommé professeur d'architecture à l'Académie de Valenciennes en 1815, Parent professa jusqu'à sa mort et forma de nombreux élèves ; il était ancien pensionnaire du roi, membre de l'Académie de Berlin, de l'Université de Bâle, de la société d'Émulation de Lauzaune et de Cambrai, correspondant de la société des antiquaires de France. Le Musée de la ville de Valenciennes possède de ses ouvrages ; il légua à la bibliothèque de cette ville un manuscrit contenant l'état des monuments funèbres érigés dans le cimetière de Saint-Roch.

SALON DE LA CORRESPONDANCE. 1779.

*Un nid de tarin, attaché à une branche de chêne entrelacée de lierre, dans lequel se trouvent plusieurs œufs ; à côté du nid, la mère étendue morte auprès d'un de ses œufs, hors du nid et cassé, dans lequel on distingue l'organisation du petit qui commençait à se développer* (sculpture en bois). — *Deux bas-reliefs en bois formant chacun un tableau ovale.* (Du cabinet de M. le Pelletier, comte d'Aunay.) Ce sont des allégories relatives à l'état de cette famille.

1780.

*Des oiseaux dans un nid et auxquels la mère donne la becquée* (sculpture en bois). (H. 5 po. L. 5 po.) Du cabinet de Mᵐᵉ la marquise d'Ecquevilly. On lit ces vers sur un socle imitant le porphyre :

> Cet oiseau sur son nid vient, d'une aile légère,
> Porter à ses petits sa récolte des champs ;
> Ainsi dès le berceau les soins les plus touchants
> Nous furent prodigués par la plus tendre mère.

Petit monument consacré à l'amitié : une colombe dépose un cœur enchaîné sur une branche de lierre qui entoure et couronne un autel simple et de forme antique (sculpture en bois). (H. 6 po. L. 5 po.) On lit au bas ces vers :

> De la sœur de l'Amour,
> Je suis le messager fidèle,
> Et je viens t'offrir en ce jour,
> Un cœur formé par elle.

1783.

Bas-relief d'un seul morceau de bois : il représente le portrait de S. M. Catherine II, impératrice de toutes les Russies, porté par l'aigle impérial, soutenant de ses griffes le sceptre et le globe. Dans la partie inférieure, où se croisent des branches de fleurs, est posé un nid d'oiseaux avec des petits ; leur mère les couvre de ses ailes et leur donne la becquée, symbole des bienfaits et de la tendresse maternelle de l'impératrice pour ses sujets. Le tout est entouré de branches de différentes fleurs presque en l'air, et surmonté d'une couronne de fleurs champêtres.

160. PARIZEAU (*Ph.-L.*), peintre et graveur, était l'élève et l'ami du graveur J.-G. Wille, qui en parle souvent dans ses Mémoires ; il a pris part à l'Exposition de la place Dauphine, en 1769 et 1770, où il envoya des dessins au bistre et à la plume ; à celle du Colisée en 1776 ; il a

gravé d'après Wille, Leprince, Boucher et Deshays; on
lui doit en outre un *recueil de figures et de groupes gravés à l'eau-forte*. — *Paris, chez Niquet, place Maubert,
près la rue des Lavandières* (1768). Il a été gravé par
M. Pequegnot.

*Deux jeunes femmes dans un salon, assises sur un sopha, occupées à lire
une lettre*; huile. (H. 2 pi. L. 2 pi. 1 2.) — *Un repas de paysans* (dessin
au crayon rouge). (H. 19 po. L. 24 po.)

### 161. PAUL, peintre.

1779.

*Allégorie en l'honneur de J.-J. Rousseau.* « La Vérité s'élevant aux
cieux et la Nature défigurée vont succomber sous l'effort de l'Orgueil ; le
Temps, épouvanté, entr'ouvre un simple monument d'où la Vertu s'élance
et vient à leur secours. » (H. 3 pi. 7 po. L. 2 pi. 9 po.) Ce tableau a été
gravé par Malœuvre.

### 162. PÉCHEUX (*Laurent*), peintre, né à Lyon en 1624, est mort

à Turin, centenaire; il n'appartient à vrai dire à la France
que par sa naissance; il était élève de Raphaël Mengs,
résida 17 ans à Rome, puis vint se fixer à Turin, où il
fut nommé premier peintre du roi de Piémont, professeur et bientôt directeur de l'Académie de peinture de
cette ville; il a été le maître de Berger, premier peintre
du roi des Deux-Siciles, et de Gérard; on voit de ses ouvrages à Pise, à la villa Borghèse, à Parme; il a peint le
plafond de la bibliothèque royale de Turin, mais le Musée
de Lyon ne possède rien de lui; Marcenay de Guy a
gravé d'après Pécheux le *Retour de Régulus et sa capti-
vité*. Laurent Pécheux laissa deux fils qui suivirent comme
lui la carrière des arts, Cajetan, peintre en miniatures,
et *Benoît*, qui fut, comme son père, professeur à l'Académie royale de Turin et qui avait commencé la publication d'une iconographie mythologique et monumentale
dont il n'a paru à Paris en 1850, que 12 planches in-folio
avec 4 feuilles de texte.

Tableau représentant *la Réunion des sculptures antiques;* un autre représentant *la Réunion des sculptures modernes.* (Du cabinet de M. l'abbé de Véri.)

163. PERNET, peintre, rue du Chantre, en face la place du Louvre, hôtel d'Artois.

1779.

2 *paysages à la gouache.* (H. 6 po. L. 8 po.) 2 *paysages* où l'on remarque les feux de l'éclair et du tonnerre qui tombe.

164. PERRARD, sculpteur, de Chaumont (Haute-Marne); élève de l'Académie de peinture, sculpture et dessin, établie par les États généraux dans la province de Bourgogne, sous la protection de S A. S. Mgr le prince de Condé; accessit de sculpture et médaille d'argent en 1775; à Paris, rue de la Huchette, chez M. Odant.

SALON DE LA CORRESPONDANCE. 1779.

*Buste du comédien Monvel.*

165. PERRIN (*Olivier-Stanislas*), peintre et graveur, est né à Rostrenen (Côtes-du-Nord), le 2 septembre 1761; élève de Doyen; il a coopéré avec Gérard, Gros et Isabey, à la publication des portraits des membres de l'Assemblée nationale, entreprise par Massard; plus tard, conducteur des ponts et chaussées, il devint ensuite professeur de dessin au collège de Quimper; on lui doit l'ouvrage suivant : *Galerie bretonne, ou mœurs, usages et costumes des Bretons de l'Armorique, par feu O. Perrin, du Finistère, gravée sur acier par Réveil, avec texte explicatif par M. Alexandre Bouet. précédé d'une notice sur la vie de l'auteur, par M. Alexandre Duval;* Paris, 1835-1839, 3 *vol. in-8°.*; il en a paru une nouvelle édition en 1843, avec ce titre : *Breiz-izel (la Basse-Bretagne).* Enfin, la *Galerie chronologique et pittoresque de l'histoire ancienne, gravée sur acier par Normand fils et Réveil, avec texte*

*explicatif par M. Alexandre Bouet ; Brest et Paris* 1836,
*gr. in-fol. obl.* Ce dernier ouvrage a coûté à Perrin plus
de trente années de sa vie ; il mourut même d'apoplexie,
le 14 décembre 1832, à Quimper, sans avoir eu la consolation de le voir publié.

SALON DE LA CORRESPONDANCE. 1785.

*Une jeune fille entre deux vieilles femmes qui veulent la séduire, tandis
qu'un jeune homme qui les a payées pour cela tâche de voir quel est le succès
de leur démarche.*

166. PÉTERS (*Jean-Antoine de*), écuyer, peintre en miniature du
prince Charles de Lorraine, naquit à Kœnigsberg vers
1740 ; il avait épousé Marie Gouel de Villebrune (in-
humée à Saint Roch, le 2 mai 1785). Il appartenait à
l'Académie de Saint-Luc, et y exposa en 1762 ; il figura
également, en 1776, au Colisée, dont il fut l'organisateur
avec Marcenay de Ghuy. De Péters, mort à la fin du
siècle dernier, avait découvert un procédé de peinture
qu'il appelait *aquarelle mixte*, qui consistait à détremper
ses couleurs dans l'eau et la gomme arabique ; il a fait
une *Visitation* pour l'église Saint-Christophe de Liége ; un
*Saint Ambroise* et un *Baptême de notre Sauveur* pour
l'église Saint-Nicolas du Chardonnet de Paris (1782).
Il a été gravé par Levasseur et Chevillet).

SALON DE LA CORRESPONDANCE. 1779.

*La charmante Catin qui danse toute seule.* (Tableau composé de 11 figures. H. 12 po. L. 15 po.) — Deux têtes d'étude dans le genre de peinture
aquarelle mixte : 1° *Loth dans la gaieté du vin*; 2° *Vieillard dans un état
tranquille.* (H. 23 po. L. 17 po.) — Études : *Agar et Abraham*, pour un
tableau représentant *Sara qui présente Agar à Abraham* ; aquarelle mixte.
— *Tête de vestale au pastel.* (H. 18 po. L. 15 po.) — *Une nourrice habillée
à la manière cauchoise, assise et ayant sur ses genoux son nourrisson, qui
tient de ses deux mains un collier de perles dont il agace son père nourricier,
qui joue avec lui*; aquarelle mixte. (H. 23 po. L. 18 po.) — Deux dessins
lavés au bistre : 1° *Intérieur de la porte de Largillière à Gisors*; 2° *Extérieur de la même porte pris au côté de l'écluse.* (H. 9 po. L. 10 p.) — Deux

dessins, aquarelle mixte : 1º *Une Jardinière assise sur une brouette, le pied étendu sur un gros chien, respirant l'odeur d'une rose en regardant le spectateur* (gravé par Levasseur) ; 2º *Un Vigneron qui a fait vendange, assis sur une cuve, ayant à ses côtés un panier de raisins choisis dont il semble présenter une grappe à la jardinière* (gravé par Levasseur.) (H. 18 po. 6 lig. L. 15 po.)— Tableau représentant *un Vieillard goûtant avec un cervelas, du pain et du vin ;* figure grandeur naturelle, vue à mi-corps. (H. 5 pieds. L. 2 pieds 5 po.) — *Jeune dame allaitant son enfant ;* aquarelle. (Gravé par Chevillet sous le titre de : *l'Amour maternel.*) (H. 1 pied L. 9 po. 1/2.) — *Marchande d'abricots,* assise, vue jusqu'aux genoux. (H. 5 pi. L. 2 pi. 4 po.) — *Marchande de bouquets, assise au coin d'une rue près d'une fontaine.* (H. 1 pi. 1/2. L. 2 po. 1/2.)— *Mᵐᵉ de \*\*\*, vue en entier,* assise devant une table, ayant une brochure à la main; peinte en aquarelle mixte. (H. 1 pi. 1/2. L. 1 pi. 2 po ) — Deux dessins, l'un au crayon : *une Femme qui lit* (crayon rouge); l'autre, *une Mère donnant des soins à son enfant au moment où elle vient de l'allaiter ;* lavé au bistre. (H. 19 po. L. 14 po.)

### 1780.

Deux dessins : *Une vue du colombier du château de Gisors, prise dans l'intérieur;* lavé au bistre sur papier gris. *Vue d'un pan du même château à l'extérieur ;* lavé d'encre de Chine et de bistre, sur papier jaune rehaussé de blanc. (H. 1 pi. L. 1 pi. 5 po.) Deux dessins lavés au bistre sur papier blanc, représentant, l'un : *Une cuisinière qui lave ses pieds,* l'autre, *une Madeleine pénitente.* (H. 20 po. L. 14 po.)

### 1781.

*Esquisse du noli me tangere* pour être exécuté en tableau d'autel. (H. 19 po. L. 15 po.) — *Jeune et jolie dame assise sur un banc, dans un jardin,* tenant une brochure. — *Femmes nues, disposées par groupes différents, prenant le plaisir du bain, au coucher du soleil, dans une belle soirée.* — *Jeune marchande de bouquets assise au coin d'une rue, ayant à ses pieds un panier de fleurs dont elle tient un bouquet à la main.* — Portrait de *l'épouse de M Wille fils, peintre du roi,* vue dans une chambre, assise auprès d'une table, ayant une brochure à la main; aquarelle mixte. — *Un vieillard à barbe blanche, ayant un cervelas à la main, et près de lui une bouteille de vin;— une jeune marchande de fruits qui lui présente un abricot en échange du cervelas.* (Tableaux formant pendants.)

### 1782.

*Deux têtes d'étude,* grandeur nature, aquarelle mixte, pour un tableau représentant *Sara qui présente Agar à Abraham.* — *La charmante Catin qui danse. — Cauchoise jouant avec son enfant au moment où il quitte le sein, et le présentant à son père, qui se prête aux mêmes jeux.* — Tableau représentant *M. l'abbé Vogler, maître de chapelle de l'électeur palatin, démontrant son tonomètre.* (Il était le professeur de M^{elle} Pouillard, qui se faisait entendre au Salon de la Correspondance.) *Tarquin et Lucrèce.* (Du cabinet de M. Cochu, médecin de la faculté de Paris.)

### 1785.

*Jeune marchande de modes montrant un chapeau.* — *Femme caressant un oiseau.*

### 1787.

*Intérieur d'une chambre de blanchisseuse* (à la gouache). L'*Année littéraire* (27 mars 1787) nous a conservé l'acrostiche ci-dessous, inspiré par ce tableau :

> **P** eintre fameux, ô toi dont le génie
> **E** t les vertus et les talents
> **T** e font triompher de l'envie,
> **I** n paix coule tes jours, va, ne crains rien du temps,
> **T** edoute peu ses coups. Son impuissante rage
> **T** ur toi ne pourra rien... la gloire est ton partage.

L'auteur de cette poésie.... était un étudiant en droit, M. Champalle.

167. **PETIT** (*Louis*), peintre en miniatures, né à Paris ; a exposé au Louvre en 1791, 1793, 1795, 1799 et 1800.

SALON DE LA CORRESPONDANCE. 1781.

Tableau en miniature représentant *Hercule et Omphale.* — Autre miniature d'après Van Loo, *Diane endormie et l'Amour qui lui lance une flèche.*

168. **PETIT** (*Simon*), peintre, rue Quincampoix, chez M. Fossoyeux, procureur au Châtelet ; il a figuré aux Salons de 1795 et 1796.

SALON DE LA CORRESPONDANCE. 1781.

*Tête d'étude représentant une femme dans la douleur et l'étonnement.* (L. 1 pi. 4 po.) — Deux autres études représentant, l'une, *un petit boudeur,* l'autre, *une petite fille nonchalante.* (H. 17 po. L. 15 po.) — *Por-*

*trait du docteur Franklin ;* pastel. (H. 2 pi. L. 1 pi. 8 po.) — *Tête de jeune fille ;* pastel.

« Ces ouvrages, faits d'après M. Greuze, promettent un artiste dans
« leur jeune auteur. On en aura l'obligation à M. le marquis de Véri,
« amateur aussi éclairé que bienfaisant, possesseur d'un superbe cabinet
« de l'École française, qu'il semble n'avoir formé que pour l'avancement
« des jeunes artistes. Sa munificence ne consiste pas seulement à les y
« réunir en tout temps ; il pourvoit encore à leurs besoins ; il n'y a pas
« de détails dans lesquels il n'entre avec eux, pour leur faciliter les
« moyens de travailler sans inquiétude et sans perte de temps. »
(La Blancherie.)

169. Petit de Villeneuve (*Claude-François-Henri*), peintre,
frère de M. Petit (Simon); il a exposé au Louvre en
1808, 1810, 1814 et 1817; il est mort sans doute
en 1820, car nous avons vu la notice des tableaux
vendus les 22 et 23 juin 1820, après son décès, à son
domicile 11, rue des Blancs Manteaux.

### 1781.

*Différents couvercles de boîte, représentant des marines peintes en minia-
ture.* — *Vue du bois de Boulogne,* d'après Fragonard. (H. 8 po. L. 1 pi.)
— *Paysage,* d'après M. Hue. (L. 2 pi. H. 1 pi.) — *Paysage,* d'après
M. Moreau, aîné. (H. 10 po. L. 9 po.)

« M. Moreau, présent à l'assemblée, a prétendu que M. Petit avait pré-
« senté *son original* au lieu d'une copie. M. Petit s'est engagé à laisser
« son tableau jusqu'à la prochaine exposition, où l'original serait apporté
« pour que le public fût juge. » (La Blancherie.) Nous avons vainement
cherché dans *les Nouvelles de la république des lettres* s'il avait été donné
suite à cette affaire.

170. Piauger, rue du Four Saint-Germain.

### 1779.

Tableau à l'huile représentant *un sujet de bacchanales,* imité d'après un
bas-relief de Delarue. (H. 26 po. L. 29 po.)

171. Pigalle (*Madeleine-Élisabeth*), peintre de portraits, pa-
rente et élève de Jean-Baptiste Pigalle, naquit à Sens
en 1751 et mourut à Nemours (Seine-et-Marne), en

1827. Ses œuvres, nous apprend M. Tarbé, le biographe de Pigalle, sont disséminées dans le département de l'Yonne. Lors d'une des expositions qui s'ouvrirent avant la Révolution, elle fit recevoir les portraits de ses aïeux ; au-dessous, une main amie écrivit ce quatrain.

> Voici d'heureux époux les modèles parfaits ;
> Philémon et Baucis revivent dans leurs traits
> Et l'art et la nature offrent un double hommage :
> Une main filiale a tracé leur image.

Elle a exposé au Salon de la Correspondance en 1782.

*Une jeune fille en peignoir, à sa toilette, pensant à une lettre agréable qu'elle a reçue ; huile. — Une jeune demoiselle tenant une guitare, changeant la feuille d'une ariette qui l'a agréablement préoccupée et dont le titre est : D'où vient donc que je désire et que j'aime à désirer ? huile.*

172. PILLEMENT (Jean), peintre dessinateur à la gouache et graveur à l'eau-forte. naquit à Lyon en 1727, et y mourut en 1808, dans la misère. On possède peu de détails sur sa vie, qui s'est écoulée dans de lointains et fréquents voyages en Angleterre. en Allemagne et en Portugal ; il était peintre du roi de Pologne et de Marie-Antoinette ; ses ouvrages sont plus répandus à l'étranger qu'en France ; on en retrouve dans les galeries d'Edimbourg, de Madrid et de Florence ; dans les Musées de Caen, Narbonne, Lyon et Avignon ; il a été gravé par Godefroi, J. Mason, Woollett, Canot, W. Elliot, Ravenet, Norton, J. Peak, Anne Allen, Lempereur, Liger, Roberts, Sherlock, Vispré, Benazech, Aveline et W. Smith. — Son fils, Victor, mort à Paris le 27 septembre 1814, s'est distingué comme graveur.

Jean Pillement exposa au Colisée en 1776.

SALON DE LA CORRESPONDANCE. 1782.

*Deux gouaches représentant des paysages avec figures d'hommes, d'animaux, et chute d'eau.*

1783.

2 *tableaux d'animaux à la gouache*. (Du cabinet de M. Gallo, gentil-homme de monseigneur comte d'Artois.)

173. PINSON (*M.*), chirurgien et modeleur en cire, est né en 1746, et est mort à Paris en 1828; il reçut en 1770 l'approbation de l'Académie des sciences pour ses ouvrages en cire, et nous apprenons par l'*Année littéraire* (tome I, p. 238-241) qu'il obtint la faveur d'exposer au Louvre en 1771, bien qu'il ne fût pas de l'Académie, avec les tableaux et les sculptures, un *bras écorché* en cire; en 1777, il fut nommé chirurgien-major des Cent-Suisses; en 1792, chirurgien en chef des hôpitaux militaires de Saint-Denis et de Courbevoie; enfin, en 1794, il fut attaché à l'Ecole de médecine; l'impératrice de Russie, Catherine II, fit de vains efforts pour l'attirer dans son pays; Pinson resta fidèle à la France; on voit encore de ses préparations anatomiques au Musée Dupuytren, et le Muséum d'histoire naturelle possède de lui une collection de champignons en cire, achetés en 1825 par le roi pour cet établissement; Pinson a exposé au Salon de 1793; il habitait alors rue Colbert, mais qu'a-t-il exposé? Le livret de cette année est si précipitamment rédigé, que le nom de l'artiste ne figure qu'à la *table finale alphabétique*, qui ne renvoie à rien en ce qui le concerne.

SALON DE LA CORRESPONDANCE. 1779.

*Un écorché en cire*. (H. 10 po.) — *Un enfant nouveau-né dont la poitrine est ouverte.*

1782.

*Portrait du duc de Cossé, gouverneur de Paris ; en cire. — Portrait de la chevalière d'Eon*

1783.

La Blancherie nous apprend qu'une grande quantité des productions de notre artiste enrichit le cabinet de Mgr le duc de Chartres, et que Pinson fait des cours de myologie *à l'usage des artistes.*

**174.** PRÉVOST, aîné, peintre de fleurs, était membre de l'Académie de Saint-Luc et y exposa en 1774.

*Corbeille remplie de fleurs*, peinte à la gouache.

**175.** PRÉVOST jeune (*Jean-Louis*), était aussi membre de l'Académie de Saint-Luc, et exposa également en 1774; il naquit à Nointel (Seine-et-Oise) et était élève de Bachelier; les Musées de Stockholm et de Langres possèdent de ses œuvres; il a figuré aux Salons de 1791, 1793, 1795, 1796, 1798, 1799, 1800, 1801 et 1802.

**176.** RENAUD (*Jean-Martin*), sculpteur en cire, est né à Sarguemines (Bas-Rhin); il a figuré aux Salons du Louvre en 1798, 1799, 1800, 1801, 1802, 1804, 1806, 1808, 1810, 1814 et 1817.

*Naissance de la sculpture.* — *Vénus, endormie sur un lit de roses, surprise par un satyre* — *M^me Dauberval, en costume de jardinière.* — *M. Vestris, fils, dans Panurge.*

**177.** RESTOUT (*Jean-Bernard*), peintre et graveur, fils de Jean, naquit à Paris le 22 février 1732 et mourut dans la même ville le 30 messidor an v (18 juillet 1797.) Il remporta en 1757 le deuxième grand prix de peinture, sur : *Le prophète Élie ressuscitant le fils de la Sunamite;* le premier grand prix en 1758, sur : *Abraham conduisant Isaac au sacrifice;* il fut agréé à l'Académie royale de peinture le 28 septembre 1765, sur : *Anacréon buvant et chantant auprès de sa maîtresse;* il fut reçu académicien le 25 novembre 1769, sur : *Philémon et Baucis recevant les Dieux* (Musée de Tours). Il remplaça, sous le ministère Roland, Fontanieu et Thierry dans la conservation du garde-meubles, et fut impliqué dans l'affaire du vol de cet établissement; Restout était membre des Académies de Rouen, Caen et Toulouse; on voit de ses

ouvrages dans les Musées du Louvre, de Caen, de Tours
et de Toulouse, et il a pris part aux Salons de 1767
et 1771, car il se sépara cette année-là de l'Académie,
par suite de son humeur hautaine, qui l'empêcha de se
plier au règlement qui assujettissait même les académiciens à l'obligation de soumettre à un jury les tableaux
que chacun d'eux voulait envoyer au Salon. — M. Prosper
de Baudicour (tome I) a décrit 5 planches gravées à l'eau-
forte par Restout.

SALON DE LA CORRESPONDANCE. 1782.

*Saint Jérôme dans le désert;* vu à mi-corps; huile. — *Saint Bruno à
genoux et en prières devant un Christ. — L'audience du roi à l'ambassadeur
du Maroc sous le ministère de M. de Sartine;* dessin. — *Le cardinal de
La Roche-Aymon annonçant au peuple la mort et les derniers sentiments de
Louis XV;* dessin. — *Portrait de M. Courlesvaux, procureur au Châtelet.
— Anacréon couronné de roses, chantant ses poésies; sa maîtresse est auprès de lui qui l'accompagne de sa lyre.* (C'est le tableau qui est
aujourd'hui au Musée de Tours.)

178. ROBART, peintre, rue Saint-André-des-Arts, en face celle
de l'Eperon, maison de M. Letellier.

1786.

*Deux tableaux de fleurs et de fruits.*

179. ROBERT (*Hubert*), peintre et graveur, naquit à Paris, le
22 mai 1733, et mourut dans la même ville, devant son
chevalet, le 15 avril 1808; il était élève de Paul Pan-
nini; il fut reçu académicien le 26 juillet 1766, sur :
*Une vue du port de Ripetta dans Rome* (au Louvre);
conseiller le 31 juillet 1784; il était garde du Muséum
et dessinateur du Jardin du roi; Pajou a exposé son
buste en 1789; Hall (1775) et Mᵐᵉ Lebrun (1789, au
Louvre) ont reproduit ses traits. Miger a gravé en l'an VII
son portrait, et c'est le meilleur du graveur, d'après
Isabey; Robert a exposé en 1767. 1769. 1771, 1773,
1775, 1777, 1779. 1781, 1783, 1785, 1787, 1789,

1791, 1793, 1795, 1796 et 1798. On voit de ses ouvrages un peu partout, car son œuvre est considérable,
aux Musées du Louvre, de Tours, de Chartres, de Troyes,
de Rouen, de Toulon, d'Alençon, de Montpellier, dans
les galeries de Darmstadt, Copenhague, de l'Ermitage,
du palais Lazienski à Varsovie ; — ajoutons qu'Hubert
Robert dessina le jardin de Méréville, ancienne propriété
du banquier de Laborde ; Robert a été gravé par Saint-
Non, Châtelain, Janinet, Liénard, Martini, Mangein,
Le Veau ; M. Prosper de Baudicour (tome I, p. 171-
184, de la suite à Robert-Dumesnil) a décrit les
18 pièces, touchées d'une pointe spirituelle et pleines
d'effet, recherchées des amateurs, qu'on doit à notre
artiste.

SALON DE LA CORRESPONDANCE. 1779.

*Vue d'une entrée de l'Orangerie de Versailles.* (H. 17 po. L. 13 po.)

1781.

*Deux monuments d'architecture avec des ruines et des paysages.* (H. 2 pi.
5 po. L. 2 pi 10 po.)

1782.

1° *Une chute d'eau de Tivoli ;* 2° *Vue de la colonne Antonine à Rome,
illuminée à l'occasion d'une fête publique.*

1783.

Deux tableaux représentant des *Vues d'Italie.* (Cabinet de M. Dufresnoy,
notaire.)

180. ROBILLION, peintre.

1782.

*Portrait de M. François Vernet,* peintre de fleurs et de paysages, frère
de Claude-Joseph ; pastel.

181. ROGER, dessinateur et écrivain expert établi à Vienne en
Autriche, actuellement en voyage à Paris, hôtel Saint-
Pierre, rue Dauphine.

1779.

Plusieurs dessins de différentes grandeurs représentant toutes sortes

de *sujets* *agréables*, exécutés tant en écriture qu'en lavis à l'encre de
Chine.

**182.** ROMANET (*Antoine-Louis*), graveur, naquit à Paris vers
1748; il était élève de J.-G. Wille; il séjourna deux
ans à Bâle (1766-1767) et travailla chez M. de Mechel;
il a gravé d'après Wille *les Joueurs*, et Louis IX dauphin, d'après Restout, etc.; nous avons trouvé (paroisse
St-Benoît) l'acte de son mariage, du 26 juin 1770, avec
Françoise-Nicolle Mancelle, fille de son aubergiste du
petit marché St.-Jacques; nous voyons figurer au nombre des témoins le graveur Wille, le graveur René
Gaillard, un sieur Fonbonne, maître menuisier et Jean
Rotrou, avocat au Parlement.

SALON DE LA CORRESPONDANCE. 1779.

*Dessin représentant M. de Tressan,* ancien premier président du conseil supérieur de Corse, mort en 1774 intendant et premier président du
Roussillon.

**183.** ROSSEL (*Auguste-Louis*, marquis de), capitaine des vaisseaux du roi; peintre amateur, il avait été chargé par le
ministre de la marine d'exécuter pour son département
des tableaux de combats sur mer; il s'en trouve encore
au ministère de la marine; nous connaissons deux pièces
le concernant : 1° pétition faite à l'Assemblée nationale,
à la séance du soir, le 5 décembre 1791, par M. de
Rossel, ancien capitaine des vaisseaux du roi (Paris),
imp. nationale (s. d.), in-8° (au sujet de la gravure par
Dequevauviller, publiée en 1791, du tableau exécuté par
Rossel en 1789, représentant le combat naval du Québec
et de la Surveillante, commandée par M. du Couédic, le
6 octobre 1779; Coqueret a également gravé ce sujet
d'après le même artiste; 2° loi relative à une contesta-
tion existant entre l'agent du trésor public et le sieur
Rossel pour prix de tableaux; donnée à Paris, le
24 juin 1792, l'an IV° de la liberté. — Paris, impri-

merie royale, 1792, in-4° (n° 1798 de la collection des
lois de l'Assemblée nationale). — Le Musée de Versailles
possède de M. de Rosset un tableau, — *la Prise des îles
St-Christophe et Nevis.*

### 1786.

*Vue de Malte et une vue de Constantinople.* (Pour le maréchal de
Castries.)

184. ROSSET (*Joseph*), sculpteur, né à St.-Claude (Jura), en 1706,
y est mort le 3 décembre 1786; il était élève de la
nature, d'une grande simplicité, et il n'est guère sorti
de son pays natal; toutefois, justice lui fut rendue de son
vivant; le roi de Prusse faisait le plus grand cas de son
talent, et Voltaire, qui avait été bien des fois sollicité de
laisser faire son buste, accorda pour la première fois
cette faveur, à Ferney, à Rosset, qui le séduisit tout
d'abord par sa grande bonhomie. Rosset, mort octogé-
naire, a laissé trois fils qui suivirent la même carrière
que lui, seulement avec moins d'éclat; l'un d'eux exposa
au Louvre, en 1793, une statue de J.-J. Rousseau, d'un
pied de haut. M. de Villette a consacré dans le *Journal
de Paris* (1er semestre de 1787), un article nécrologique
à Joseph Rosset.

#### SALON DE LA CORRESPONDANCE. 1779.

Bas-relief représentant *Voltaire assis au pied d'un arbre, un livre à la
main;* une famille de pauvres gens chassés d'une ferme qu'ils occu-
paient, pour une somme de 4,000 fr., l'entoure; dès qu'il eut appris
leur malheur, il les fit retourner à la ferme et les 4,000 fr. furent payés.

185. ROUVIER, peintre en miniature, rue Croix-des-Petits-
Champs, vis-à-vis la rue Coquillière, à la Maison neuve.

### 1779.

*Une jeune femme en négligé. — Jeune garçon jouant du violon;* miniature. (H. 2 po. 3 lig. L. 2 po.) *Portrait de la jeune princesse de Mas-
salska,* nièce de M. l'évêque de Vilna, *incessamment Madame la princesse*

*de Ligne*; miniature. H. 27 lig. L. 24 lig., — *Femme en vestale*, miniature. (Diamètre 2 po.) — *Portrait de M. La Blancherie*.

1782.

Portraits en miniature.

186. R<small>OYER</small> (*Pierre*), peintre d'architecture et de paysages, de l'Académie royale de Londres; il a figuré aux Salons de 1791, 1793, 1795 et 1796; son portrait a été peint par Charpentier (Jean-Baptiste) en 1783. (Voy. ce nom ci-après.)

1779.

*Une vue de la maison de campagne de Garrick au village de Hampton, près du château royal de Hamptoncourt, en Angleterre* (H. 3 pi. 1 po. 1/2. L. 3 pi. 10 po. 1/2.) — *Paysage avec architecture* (H. 3 pi 2 po. L. 3 pi. 8 po.)

1781.

*La maison de campagne de Garrick, près Hampton.* (H. 3 pi. L. 4 pi.)

1786.

*Vue prise dans Hyde-Park Corner, près du jardin de Kensington, près Londres.*

187. R<small>UBENS</small> (*Josse*), jeune peintre flamand, — nous dit La Blancherie, — qui inspire les plus grandes espérances, — M. *Josse* avait un nom bien lourd à porter; nous devions, à cause de ce motif, prolonger nos recherches; le résultat en a été nul; nous nous bornerons à signaler l'exposition d'une nouvelle victime des homonymies écrasantes.

SALON DE LA CORRESPONDANCE. 1786.

*Portrait de M. Fourneau, ancien maître charpentier de Rouen*, chargé par l'Académie des sciences de l'art du charpentier.

Fourneau a tenu sa parole; son ouvrage intitulé (lui qu'on a été jusqu'à accuser de ne pas savoir lire) : L'Art du trait de charpenterie, — Rouen, L. Dumesnil, 1766-1770, 3 parties en 1 vol., in-fol. avec planches; est un excellent livre consulté de nos jours encore; seulement, il n'assura pas même à *l'inventeur* (soit dit en passant) des moyens d'existence; on dut recourir, pour lui venir en aide, à la vente *à son profit*

de son propre portrait dessiné par Rubens, et qui a été gravé; mais
comme la seule épreuve que nous ayons rencontrée au cabinet des
estampes de la Bibliothèque impériale est avant toute lettre, nous ignorons naturellement le nom du graveur, et nous sommes autorisé aussi à
supposer que les contemporains de Fourneau restèrent assez froids à
son égard.

188.  SAUVAGE (*Piat-Joseph*), peintre de grisailles, est né à
Tournai (Belgique), paroisse Saint-Quentin, le 19 janvier 1744; il y est décédé le 10 juin 1818; il était élève
de l'Académie de Tournai, où il suivit d'abord les leçons de Gillis père, puis il devint disciple de Quérart
d'Anvers; il était membre de l'Académie de Saint-Luc
de Paris et prit part à l'Exposition de 1774; il fut reçu
la même année membre de l'Académie de Toulouse, sur
*un jeu d'enfant*, que possède encore le Musée de cette
ville; il fut agréé à l'Académie de peinture le 28 juillet
1781, et reçu académicien le 29 mars 1785, sur un
tableau représentant *une table couverte d'un tapis, d'un
vase de bronze, d'un bouclier, d'un casque.* (Au palais de
Fontainebleau, où l'artiste a peint en outre plusieurs
dessus de portes.) Les Musées d'Orléans, de Montauban,
de Montpellier, de Tournai (25 tableaux), de Montargis,
de Toulouse, de Lille, possèdent également des œuvres
de Sauvage. Le Musée de Lille possède son portrait
peint par Donvé. M. Charles Lebrun, son neveu, journa-
liste à Tournai, en possède un autre peint par l'artiste
lui-même; Canlez, ciseleur tournaisien auquel on doit
les 4 aigles placés à la base de la colonne Vendôme, a
reproduit en médaillon et au repoussé les traits de Piat
Sauvage; ce morceau, très-estimé, est aujourd'hui la propriété de M. Adolphe Canlez, avocat à Tournai. Il a reproduit en grisailles, en 1811, sur une grande échelle,
d'après Poussin, les *Sept sacrements* pour le chœur de la
cathédrale de Tournai. (Ces toiles, pour le dire en passant, n'ont pas été payées à l'artiste, et le chapitre de la
cathédrale ne les possède que par prescription.) On voit

aussi à l'autel de Notre-Dame-de-Bonne-Foi, à l'église
de la Magdelaine, une Assomption de Sauvage. Cet artiste
a figuré aux Salons de 1781, 1783, 1785, 1787, 1789,
1791, 1793, 1795, 1796, 1798, 1800, 1801, 1804 et
1810. Son fils, mort jeune en 1817, peignait habilement
les fleurs; le Musée de Tournai possède un de ses tableaux; nous devons en partie les renseignements qui
précèdent à l'obligeance de M. François Bozière, auteur
du *Tournai ancien et moderne*, et de M. Charles Lebrun,
rédacteur de la *Petite Feuille de Tournai*, neveu de
l'artiste.

### SALON DE LA CORRESPONDANCE. 1783.

Deux bas-reliefs peints couleur de terre cuite, représentant, l'un :
*Un sacrifice au dieu Pan*; l'autre : *un jeu d'enfants*. (Du cabinet de
M. Coutouly, chirurgien-accoucheur.)

189. SERGENT (*Antoine-François*), né à Chartres le 9 octobre
1751 (paroisse Saint-Martin), est mort à Nice, aveugle,
le 24 juillet 1847; il fut tour à tour graveur, juge de
paix et commissaire de police de Paris, puis chargé de
l'administration de la police; député à la Convention,
exilé en 1803, il devint membre de l'athénée de Brescia
et bibliothécaire de l'université de Turin (1824). Il a été
en outre écrivain. Sergent, fils d'un arquebusier de
Chartres, a gravé quelques médailles; il était élève
d'Augustin de Saint-Aubin; il épousa en 1794 Emira
Marceau (morte à Nice le 6 mai 1834, âgée de 81 ans),
propre sœur du célèbre général, épouse divorcée de
Champion de Cernel, procureur à Chartres, qui elle-
même a gravé et a laissé 6 volumes in-8° intitulés :
*Glanures dans le champ de la vérité*. Nous n'écrivons
point l'histoire de Sergent; nous renvoyons le lecteur à
la notice biographique que lui a consacrée son compatriote Noël Parfait (Chartres, Garnier, 1848, in-8°) et à
un livre très-curieux écrit par l'artiste : *Fragment de
mon album et nigrum écrit en 1811, revu et augmenté*

de souvenirs en 1856, avec un portrait d'Emira Marceau, lithographié par Sergent (Brignolles, 1857, in-12). La carrière de Sergent comme artiste a été très courte, et son principal ouvrage est : *Portraits des grands hommes, femmes illustres, et sujets mémorables de France gravés et imprimés en couleurs, dédiés au roi. Avec la collaboration de Desfontaines et le concours de divers graveurs;* Emira Marceau y a gravé quelques portraits d'après les dessins de son mari (1787-1789, in-fol). Ajoutons que Sergent a légué, en mourant, au Musée de Chartres, le sabre, l'écharpe du général Marceau, et un fragment de mémoires que son beau-frère avait écrits pour sa fiancée M^lle Agathe de Châteaugiron. Sergent avait été, sous la République, chargé du soin de régler les fêtes et les cérémonies, soin qui échut plus tard à David; Sergent a pris part aux Salons de 1793, 1798, 1799 et 1801.

SALON DE LA CORRESPONDANCE. 1779.

*Madame Leclerc de Meulan offrant à Sully des trésors pour subvenir aux besoins d'Henri IV.* (A été gravé par Demachy fils.)

SIGISBERT. Voyez : MICHEL (Sigisbert.)

190. SIMIAND, sculpteur, maison du Sellier, passage du Grand Cerf.

1781.

Deux bustes, l'un d'homme, l'autre de femme; en plâtre.

191. STAGNON (*Antoine-Marie*), dessinateur et graveur; graveur des sceaux du roi de Sardaigne; on lui doit notamment 45 planches de costumes de femmes (1780) et deux volumes d'uniformes sardes (Turin, 1790); il avait collaboré au « Voyage pittoresque d'Italie, » de Richard de Saint-Non, et nous croyons curieux de réimprimer la lettre qu'il adressa à Pahin de La Blancherie et qui a paru pour la première fois dans le n° du 11 mai 1779 des *Nouvelles de la République des lettres et des arts :* « Monsieur je ne sais quel est le motif qui a porté à

effacer mon nom de dessus les deux planches de la cinquième livraison du Voyage pittoresque d'Italie, pour y substituer celui de M. Choffard, tandis que c'est moi qui les ai absolument finies, chose que je suis à portée et en droit de prouver. Ces planches forment l'une, le nº 36 et a pour sujet l'éducation d'un jeune homme par une centauresse et un centaure dompté par l'Amour; l'autre, nº 38, a pour sujet deux scènes comiques (peintures antiques découvertes à Herculanum et conservées dans le Muséum de Portici). Cet ouvrage étant destiné à être placé dans presque tous les cabinets de l'Europe, je ne puis être indifférent à me voir privé du fruit le plus flatteur de mon travail, et je réclame, pourque ma lettre soit insérée dans les *Nouvelles de la République des lettres,* cette impartialité et cette justice que vous n'avez pas seulement promises pour toutes les parties de votre établissement, mais que l'on vous voit observer avec tant de courage. Je suis, etc. » L'une de ces planches porte en effet : Gravé par Stagnon, terminé par Choffard ; la seconde : Dessiné par Paris, dessinateur du roi, gravé par Stagnon et terminé par Choffard. — Il existe un autre état de l'estampe des centaures avec la signature seule de Stagnon; existe-t-il également un autre état de la seconde? Nous l'ignorons, mais la chose nous paraît possible.

192. Surugue (*Pierre*), sculpteur, obtint en 1759 le deuxième grand prix de sculpture; le sujet était : *Absalon faisant tuer son frère Ammon dans un festin;* il en resta là, et ne fit pas partie de l'Académie; il mourut à Paris (paroisse Saint-Sulpice) le 30 avril 1786, âgé de 58 ans, époux de Louise-Françoise Quillet; nous le voyons exposer en 1776 au Colisée, et en 1779 au Salon de la correspondance, où il envoya :

*Le portrait du roi en relief et en cire.* (H. 5 po. L. 7 po.)

Deux bas-reliefs en cire représentant : *La Mort d'Adonis.* — *Hercule aux pieds d'Omphale.* (H. 4 po. 1/2. L. 6 po. 1/2.)

Ce Surugue était fils de Pierre-Etienne Surugue, sculpteur, ancien conseiller de Saint-Luc, qui mourut à Paris le 4 mars 1772, le même jour qu'Élisabeth Meunier, son épouse, le premier âgé de 74 ans et la seconde de 76 ans; ils habitaient rue Saint-Jacques, vis-à-vis le collége Duplessis, et on les enterra tous les deux le 5 mars à Saint-Sulpice; *Pierre-Étienne* était frère de Louis Surugue, graveur, membre de l'Académie royale de peinture

193. SURUGUE (D^lle) l'aînée, rue Saint-Jacques, vis-à-vis le collége Duplessis; fille de Surugue, elle figura avec sa sœur cadette en 1776 au Colisée; M^lle Surugue l'aînée exposa seule au Salon de la Correspondance en 1779.

*Rose trémière d'Italie.* (H. 24 po. L. 18 po.)—4 *Papillons de différentes espèces,* peints à la gouache d'après nature. — *L'héliotrope du Pérou,* peint d'après nature (H. 12 po. L. 10 po.) sous verre. — *Bouquet composé d'une branche de pommier d'amour d'Espagne, d'une de rosier de haie et de quelques œillets d'Inde.* (H. 15 po. L. 10 po.) — *Bouquet de toutes sortes de fleurs à la gouache* (H. 15 po. L. 10 po.)

194. SUVÉE (Madame), au Louvre, épouse du peintre Joseph-Benoît Suvée.

### 1782.

Deux tableaux faisant pendants; *la Chaste Suzanne,* d'après Santerre; *l'Amitié,* d'après Boucher; *Vierge,* d'après M. Suvée : miniatures.

195. SWEBACH (*Jacques-François-Joseph*), presque aussi connu sous le nom de *Fontaine,* qui n'est qu'une traduction de son nom, d'origine allemande, naquit à Metz le 19 mars 1769; il était fils d'un sculpteur du duc d'Orléans, et mourut à Paris le 10 décembre 1823; le journal *la Pandore* lui a consacré un article dans son numéro du 13 décembre 1825. Peintre et graveur à l'eau-forte, il fut élève de Duplessis; lorsque la manufacture de porcelaines de Sèvres fut érigée en manufacture impériale, il en devint le premier peintre; plus tard (1815-1820), il fut appelé à diriger la manufacture de porcelaines de

S<sup>t</sup>- Pétersbourg, ce qui lui valut d'être fait comman-
deur de l'ordre de S<sup>te</sup>-Anne de Russie. Agé de 14 ans
seulement, il exposa à la *place Dauphine* un dessin sur
papier jaune représentant l'*Attaque d'une redoute*. Ce
dessin a malheureusement été détruit; il lui avait valu
un vrai succès, dont le *Mercure de France* nous a
conservé le souvenir. Swebach a pris part aux salons de
1791, 1793, 1795, 1796, 1798, 1799, 1800, 1801,
1802, 1804, 1806, 1808, 1810, 1812, 1814, 1817,
1819, 1822, 1824 (posthume). Quoique ayant obtenu
une médaille de 1<sup>re</sup> classe en 1810, il a frappé vainement quatre fois aux portes de l'Institut On voit notamment de ses œuvres aux Musées de Cherbourg et de
Montpellier et l'on trouve à Bruxelles, dans le cabinet
du roi, un tableau représentant *un Espion amené
devant les avant-postes*. Son portrait, dessiné par Boilly
père, est au Musée de Lille. Swebach, a laissé un fils
qui a figuré à quelques-uns de nos Salons.

SALON DE LA CORRESPONDANCE. 1785.

*Intérieur de prison. — Intérieur d'église.*

196. TAILLASSON (*Jean-Joseph*), peintre d'histoire et littérateur,
naquit à Blaye près Bordeaux, en 1746 et mourut à
Paris le 11 novembre 1809 ; il était élève de Vien  Il
obtint en 1769 le 3<sup>e</sup> prix de peinture et une médaille
d'encouragement; le sujet était: *Achille déposant le
cadavre d'Hector aux pieds de Patrocle*. Agrée à l'Académie le 30 novembre 1782, sur *la Naissance de Louis XIII*
il fut reçu académicien le 27 mars 1784, sur *Ulysse et
Néoptolème enlevant à Philoctète les flèches d'Hercule* (au
Louvre). Il a figuré aux salons de 1783, 1785, 1787,
1789, 1791, 1793, 1795, 1796, 1798, 1799, 1801,
1802, 1804 et 1806. — Massot a gravé d'après lui
*la Prudence* (an III); Girard, *les Prémices à l'Éternel;*
J. L. Anselin, *Sabinus découvert dans sa etraite;* Normand,

Pauline Laudon et Lebas, diverses de ses œuvres dans les *Annales du Musée*. Les Musées du Louvre, de Bordeaux et de Stockholm possèdent de ses tableaux ; Brun-Neergaard lui a consacré une notice nécrologique, insérée dans le *Magasin encyclopédique* de février 1810. Taillasson a écrit aussi ; on lui doit : *le Danger des règles dans les arts, poème suivi d'une traduction libre en vers d'un morceau du XVIe chant de l'Iliade, par M. T.., de l'Académie de peinture et de sculpture. — Venise et Paris, 1785, in-4°. — Traduction libre en vers des chants de Selma d'Ossian, suivie des Dan ers des règles dans les arts, poème et de quelques autres poésies. — Paris, Barrau, 1802, in-8° de 38 p.* enfin, des *Observations sur quelques grands peintres, dans lesquelles on cherche à fixer les caractères distinctifs de leur talent avec un précis de leur vie. Paris*, 1807, in-8. Cet ouvrage estimable est devenu rare.

### SALON DE LA CORRESPONDANCE. 1780.

La Mort de Lausus ; des soldats apportent son cadavre à Mézence, son père, roi des Tyrrhéniens, qui, blessé lui-même par Enée, s'était retiré du combat pour laver ses blessures sur le bord du Tibre. ( H. 4 pi. 1/2. L. 6 pi. 1/2. )

197. Taunay (*Nicolas-Antoine*), peintre de paysages, naquit à Paris le 11 février 1755 et y mourut le 20 mars 1830 ; il fut élève de Brenet, de Casanova et de Lepicié ; agréé à l'Académie en 1784, il ne devint pas académicien, mais fit partie de l'Institut dès sa création. On lui doit la formation à Rio-Janeiro d'une Académie des beaux-arts. Taunay a exposé en 1787, 1789, 1791, 1793, 1796, 1798, 1801, 1802, 1804, 1806, 1808, 1810, 1812, 1814, 1819, 1822, 1824, 1827 et 1831 (posthume). On voit de ses ouvrages dans les Musées du Louvre, de Cherbourg, de Grenoble, de Nantes, de Montpellier. Nous utiliserons un document publié par la *Revue universelle des arts* (tome XIV, p. 125,) pour redresser

une erreur partagée jusqu'à ce jour par tous les biographes. — Taunay (N.-A.) était fils de Pierre-Henri Taunay, chimiste, peintre émailleur, pensionnaire du roi à la manufacture de Sèvres; Auguste Taunay, statuaire (né à Paris en 1769 et mort au Brésil en 1824), était *son frère* et non son fils; il eut cinq enfants, et le dernier, Adrien, né à Paris en 1803, fut dessinateur en second de la corvette l'*Uranie*. Grand nombre de ses dessins pour l'histoire naturelle ont été gravés en 1824. Il se noya dans le Guaporé, rivière de la province de Mato-Grosso, qu'il voulut traverser à la nage après une forte crue.

SALON DE LA CORRESPONDANCE. 1782.

Tableau représentant *des Travailleurs qui ouvrent un chemin dans une montagne.* ( Cabinet de M. le comte de Cossé. )

198. TAUREL (*Jean-François*), peintre de marines, né à Toulon (Var), élève de Doyen, mort à Paris le 30 novembre 1832, âgé de 75 ans; Engelmann et Langlumé ont lithographié diverses pièces d'après lui; il a exposé au Louvre en 1793, 1795, 1796, 1798, 1799, 1800, 1801, 1802, 1804, 1806, 1810 et 1817.

SALON DE LA CORRESPONDANCE. 1787.

*Vue du château de Versailles, du côté de la pièce d'eau des Suisses;* — *Vue d'un jardin.* — Petit tableau représentant *un cavalier turc sur un cheval blanc.*

199. TAVERNIER DU JONQUIER, amateur.

1779.

*Paysage* au bistre (H. 15 po. L. 18 po.)

200. THÉAULON (Etienne), peintre, né à Aigues-Mortes (Gard), le 28 juillet 1739; mort à Paris le 10 mai 1780; élève de Vien, il fut agréé à l'Académie le 25 juin 1774, mais ne devint pas académicien; on voit de ses ouvrages aux

Musées du Louvre et de Montpellier ; il a exposé en 1775 et en 1777.

*Deux têtes d'étude d'expression représentant deux vieillards;* l'artiste terminait ces ouvrages quand la mort le saisit. (Du cabinet de M. de Joubert, trésorier des états du Languedoc.)

M. Emile di Pietro a consacré à Théaulon un article biographique intéressant dans son Histoire d'Aigues-Mortes.

201. THIEBAUT et BELLANGER, peintres dessinateurs et fabricants privilégiés d'indiennes, chez M. Mayer, tapissier, rue Bourg-l'Abbé.

1779.

*Portraits de Voltaire et de J.-J. Rousseau,* gravés et imprimés en couleur et sur soie, dans la manière de ceux approuvés par l'Académie des sciences. (Voyez ses mémoires du 12 mai 1779.)

202. THIÉRARD (*Jean-Baptiste*), sculpteur, né à Réthel (Ardennes), élève de Barthélemy ; décédé à Paris, âgé de 75 ans et six mois, le 23 février 1822; exposa en 1791, 1801, 1804 et 1810.

Deux petits groupes en marbre représentant, l'un *la Musique,* l'autre *la Poésie.*

203. THOMIRE (*Pierre-Philippe*), fils, sculpteur bronzier ; il naquit à Paris, le 6 décembre 1751, et y est mort le 15 juin 1843. (Voyez l'*Illustration* du 24 juin de cette année.) Nous pouvons considérer Thomire comme le doyen de nos exposants au *Salon de la Correspondance;* il était élève de Pajou et de Houdon ; membre de l'Académie de Saint-Luc, il fut plus tard fait chevalier de la Légion d'honneur ; il avait d'ailleurs obtenu des médailles d'or en 1806, 1819, 1825, 1827 et 1834; il fut attaché à la manufacture de Sèvres comme sculpteur, et il a pris part aux expositions de 1812, 1814, 1817, 1819, 1824

et 1854 ; son portrait a été gravé par Blanchard d'après Gavarni.

Petit groupe représentant *Deux enfants qui se disputent un cœur en bronze imitant l'antique.* (H. 8 po.)

**204.** THOUESNY, peintre, rue Bourbon-Villeneuve.

1782.

Deux miniatures, *un jeune Homme* et *une jeune Femme.* — *Son propre portrait* ; miniature.

**205.** THOUROND, peintre en émail, rue de Bondi, chez M. Guérard, près la porte Saint-Martin ; il naquit à Genève vers 1757 et mourut à Paris vers 1790.

1781.

*Portrait du duc de Buckingham ;* d'après Rubens ; émail. (H. 5. po. L. 5 po.) — *Tête coiffée d'un bonnet de velours,* d'après Santerre. (H. 2 po. 1/2. L. 2 po.) — *La cruche cassée* d'après Greuze ; émail. (H. 4 po. 1/2. L. 2 po 1/2.)

1782.

*Portrait de M. Bourit, chantre de l'église de Genève ;* émail d'après nature.

**206.** TIERCE (*Jean-Baptiste*), peintre de paysages, né à Rouen en 1742, élève de Pierre, fut agréé à l'Académie royale de peinture le 27 mai 1786, sur un paysage, mais n'est pas devenu académicien ; nous pensons qu'il est mort en Italie, où il était allé se fixer dès 1779 ; il a été gravé par Carl Guttemberg (Vues de laves anciennement sorties du Vésuve). Varin a gravé d'après lui une Vue de Naples, et V. C. une Fontaine. Le musée d'Orléans possède, de notre artiste, un dessin à l'encre de Chine.

*Vue de Naples et du Vésuve dans l'éloignement,* prise d'un petit ermitage situé à la pointe de Pausilippe. (H. 13. po. L. 18 po.) — Du cabinet du comte d'Orsay.

1786.

*Marine avec vue du Vésuve et de la mer un peu grosse, pendant la nuit.*

207. TISCHBEIN (L.), premier peintre du prince-évêque de Waldeck à Arolsen (Allemagne) ; il prit part en 1776 à l'exposition du Colisée. Il était ami du graveur J.-G. Wille, qui en parle plusieurs fois dans ses mémoires.

1785.

*Portrait à l'huile de M^me ^*** — Jeune fille prête à sortir de son lit et ouvrant son rideau pour examiner si personne ne la voit.*

208. TRINQUESSE (L.), peintre. Nous apprenons, par le journal du graveur Wille, que cet artiste devait exposer de ses ouvrages devant l'Académie pour être agréé le 29 août 1789, mais qu'il ne vint pas, dans la crainte sans doute d'être refusé une troisième fois, l'ayant été déjà à deux reprises. Trinquesse a figuré aux Salons du Louvre en 1791 et 1793.

SALON DE LA CORRESPONDANCE. 1779.

*Jeune femme assise sur un canapé, s'endormant en tenant négligemment un livre.* (H. 30 po. L. 24 po.) — *Portrait du général Washington d'après l'original envoyé d'Amérique au général Lafayette.* On lit au bas du cadre ces vers de Sidney :

*Manus hæc inimica tyrannis
Ense petit placidam sub libertate quietem.*

*Tête d'étude de femme.* (H. 26 po. L. 21. po.)

1782.

Grand tableau représentant *une Promenade dans un parc.* Deux jeunes gens font la lecture à l'ombre d'une masse d'arbres ; une femme, debout sur le devant et tenant des roses qu'elle vient de cueillir, se rapproche pour les entendre ; dans le lointain, un jeune homme, donnant la main à une femme pour monter un escalier, paraît rejoindre la compagnie ; fond est terminé par une colonnade circulaire au devant de laquelle se voit un jet d'eau. — *Deux femmes accompagnées d'un jeune homme, se promenant dans un jardin à l'anglaise, se trouvent dans un temple d'ordre dorique où est la statue de l'Amour ;* le jeune homme est vêtu en lévite ; la femme principale est aussi en lévite avec un chapeau couvert de plumes blanches. — *Portrait d'une jeune femme assise sur un sopha*. — *Jeune fille de sept à huit ans, vue à mi-corps, les cheveux négligemment épars et vêtue en satin blanc* (appartient à Mᵐᵉ la vicomtesse de Laval). — *Le Matin*, sous l'allégorie d'une dame qui déjeune dans son boudoir, vêtue dans le négligé ordinaire aux femmes au sortir du lit, et d'un jeune homme en habit du matin qui pince de la guitare; on aperçoit, dans le plan le plus reculé, la porte de la chambre à coucher ouverte, et dans l'intérieur un lit à la polonaise. — *L'Après-dînée*, sous l'allégorie d'une jeune dame qui joue de la harpe recevant la visite d'un jeune homme, vêtu en satin prune de Monsieur, qui prête toute son attention à son jeu. — *Portrait du père de l'artiste.*

### 1785.

*Portrait en pied de Mᵐᵉ de Saint-Huberty* dans le rôle d'Iphigénie en Tauride au moment de la tempête. — *Le Serment à l'amour*. — *L'Offrande à l'amour.* — *Une mère faisant des reproches à un jeune homme sur ses assiduités auprès de sa fille, tandis que celle-ci reçoit furtivement une lettre de lui.*

### 1787

*Premier baiser de l'amour*, sujet tiré de la *Nouvelle Héloïse*.

209. **VALLAYER** (*Anne*), épouse **COSTER**, était fille d'un orfévre et vivait encore en 1818; on sait peu de chose sur sa vie, elle fut une des quinze femmes admises, avant la Révolution, à l'Académie royale de peinture et sculpture; elle fut reçue académicienne le 28 juillet 1770, sur deux tableaux représentant : 1° des *instruments de musique groupés* (au ministère de la justice); 2° des *instruments des arts de peinture et sculpture* (au palais de Fontainebleau). Son portrait a été peint par Roslin en 1783, et C.-E. Letellier en a gravé un autre d'après un des dessins de l'académicienne; il a été reproduit dans le *Magasin pittoresque* (1851, p. 288). Le Musée de Nancy possède d'elle un *Vase de fleurs* et un *panier de raisins;* elle a figuré aux Salons de 1771, 1773, 1775, 1777, 1779, 1781, 1783, 1785, 1787, 1789, 1795, 1800. 1801, 1802, 1804, 1810 et 1817.

1785.

Tableau représentant *un homard, un vase d'argent, des fruits et du pain
sur une table* (à M. Girardot de Marigny). Ce tableau avait figuré au
Salon de 1782. C'est à propos de madame Coster que fut fait ce mot :
« Allons voir une femme qui est un habile homme. »

210. Van Loo (*Jules-César-Denis*), peintre, fils de Carle, naquit
à Paris en 1743 ; il est mort dans l'indigence vers 1821.
Il avait épousé Thérèse Manajoli, qui mourut à Paris en
1817. Regnault Delalande procéda, le 17 novembre
1817, à la vente de divers objets d'art après son décès;
le catalogue en a été imprimé. Van Loo fut agréé et
reçu académicien dans la même séance, le 30 octobre
1784, sur : *Une tempête* et un *Clair de lune ;* il a pris
part aux Salons de 1785, 1787, 1789, 1795, 1797,
1798, 1800, 1801, 1802, 1804, 1806, 1808, 1814 et
1817. On trouve de ses ouvrages au Musée de Toulouse
et dans les galeries de Turin et de l'Ermitage ; il obtint
une médaille d'or en l'an XIII ; P. Aubert a gravé d'après
lui un *Clair de lune en Italie avec un château en flammes
dans le lointain.* Il est auteur d'une brochure in-8° de
15 pages, très-peu connue, avec ce titre : *César Van Loo
aux amateurs des beaux-arts.* Cet opuscule, postérieur à
1814, contient de précieux documents sur sa vie.

SALON DE LA CORRESPONDANCE 1779.

*Vue prise de dessous le pont de Tivoli, en face la cascade.* (H. 4 pi.
L. 2 pi. Du cabinet du comte d'Orsay.)

211. Van Spaendonck (*Gérard*), aîné, peintre de fleurs, naquit à
Tilbourg (Hollande), le 25 mars 1746, et fut élève de
Herreyns ; il fut agréé à l'Académie royale de peinture
en 1777 ; reçu académicien le 18 août 1781, sur un
*Vase rempli de fleurs,* et nommé conseiller le 29 mars
1788 en remplacement de De Latour. Il était depuis
1774 peintre en miniature du roi ; il fut nommé en 1795
professeur d'iconographie au Jardin des Plantes, enfin

membre de l'Institut en 1795. On voit de ses œuvres
au Louvre (École hollandaise), au Muséum d'histoire
naturelle, au palais de Fontainebleau, au Musée de
Montpellier, etc.; on a beaucoup gravé d'après lui;
M. Chalons d'Argé a publié en 1826 *les Souvenirs de
Van Spaendonck ou Recueil de fleurs lithographiées
d'après les dessins de ce célèbre professeur, accompagné
d'un texte rédigé par plusieurs de ses élèves.* G. Van
Spaendonck est mort au Muséum le 11 mai 1822.
Quatremère de Quincy et le baron Cuvier prononcèrent
des discours sur sa tombe. Van Spaendonck a pris part aux
Salons de 1777, 1779, 1781, 1783, 1785, 1787,
1789, 1791, 1793, 1795 et 1796. Son frère puîné,
*Corneille*, né à Tilbourg en 1756, mort à Paris en 1789,
fut également reçu à l'ancienne Académie, le 30 mai
1789. Il a pris part à presque toutes les expositions de
1789 à 1833.

SALON DE LA CORRESPONDANCE. 1779. (*Gérard* VAN SPAENDONCK.)

*Une corbeille de fleurs de la plus grande fraîcheur et d'une imitation
belle comme nature.*

212. VASSAL, peintre en émail, rue du Harlay, chez le traiteur,
était membre de l'Académie de Saint-Luc, et prit part en
cette qualité à l'exposition de 1774.

SALON DE LA CORRESPONDANCE. 1779.

*Portrait de Louis XV.* — *Tête d'après Greuze.* — *2 têtes de femme,
d'après nature.* — *Une femme faisant nettoyer ses souliers par un petit Savoyard.* — *Le portrait de l'auteur.* — (Le tout en émail.)

213. VAUTHIER, peintre, élève de Vincent, rue de Grammont,
maison de M. Rocher, serrurier du roi.

1781.

*Jupiter et Antiope* (miniature) (H. 58 po. 1/2 L. 4 po. 1/2 ) — *Portrait
au pastel d'un jeune homme en négligé.* (H. 1 pi. 8 po. L. 1 pi. 4 po.)
*Deux têtes de caractère* formant portrait pour une boîte ; 3 po. de diam
— *Portrait au pastel de l'évêque de Senlis*

**214.** Vavoque (*François*), peintre, inspecteur de la basse-lisse
aux Gobelins; né à Paris, mort dans la même ville,
célibataire, le 4 août 1821, âgé de 60 ans; il a figuré
aux expositions du Louvre en 1795 et 1804.

SALON DE LA CORRESPONDANCE. 1782.

Tableau représentant des *fleurs et des fruits*. — Tableau représentant
un bas-relief de M. Boizot, sculpteur du roi. — Un autre représentant un
bas-relief de Clodion.

**215.** Vernet (*Claude-Joseph*), peintre et graveur, naquit à Avignon, le 14 août 1714, et mourut aux Galeries du Louvre,
le 3 décembre 1789; il était élève de Bernardino Fer-
gioni; agréé à l'Académie royale le 6 août 1745, il fut
reçu académicien à son retour d'Italie le 25 août 1753,
et nommé conseiller en 1766. Il a pris part aux salons
de 1746, 1747, 1748, 1750, 1753, 1755, 1757, 1759,
1761, 1763, 1765, 1767, 1769, 1771, 1773, 1775,
1777, 1779, 1781, 1785, 1787 et 1789. On ne s'attend
pas, au surplus, à ce que nous nous étendions longuement
sur le compte de cet artiste; l'excellent travail de M. Léon
Lagrange, que nous avons cité plus haut, la notice
de M. Villot, dans le catalogue de l'école française au
Louvre, ne laissent rien à désirer; M. Prosper de Baudicour a, en outre (tome Ier), décrit l'œuvre gravé de
Joseph Vernet; nous nous bornerons à signaler le rôle
que Vernet a joué au Salon de la Correspondance.

1779.

*Marine.* (H. 3 pi. L. 4 pi. 3 po.)

1782.

*Deux marines.* (Du cabinet de M. le chevalier Cortasar, en Espagne.) —
*Deux marines.* (Du cabinet de M. Phelippeaux, archevêque de Bourges.)

15 mars-3 avril 1783 (pendant la fermeture du Salon de la Correspondance à cause des fêtes de Pâques).

Pahin de La Blancherie utilisa ces vacances pour offrir au public une
*exposition spéciale* (1) de tout ce qu'il put réunir de l'œuvre du grand

(1) Nous appelons l'attention de nos lecteurs sur *cette idée de l'exposition spéciale de l'œuvre d'un maître* mise à exécution en 1783 par Pahin de La Blancherie.
— Dans ces temps modernes, on a, plus d'une fois, suivi cet exemple.

maître, qui, par un sentiment de modestie peut-être exagéré, ne voulut pas paraître au Salon de la Correspondance. « M. de La Blancherie a fait « part à l'assemblée des excuses et de la reconnaissance de cet artiste « estimable, à l'occasion desquelles il a excité des regrets universels « d'autant plus vifs, que le nombre, la variété et la magie des objets ex- « posés causaient davantage d'admiration. » En voici, au surplus, la nomenclature.

---

### Catalogue des tableaux et dessins de M. Vernet, peintre du roi, exposés à l'émulation et aux hommages du public dans le Salon de la Correspondance.

1. *Une Rivière avec chute d'eau ;* on y voit plusieurs femmes, dont le plus grand nombre se baignent. (A monseigneur le comte d'Artois.)

2. *Une mer calme, entre deux côtes ornées d'architecture ;* un grand vaisseau avec tous ses agrès est à la rade ; sur le devant du tableau, se présentent des marins qui reviennent de la pêche et vendent leur poisson.

3. *Une tempête avec naufrage d'un vaisseau sur le rivage ;* on voit des gens occupés à retirer des corps morts et des effets naufragés.

4. *Une mer calme, au clair de la lune ;* sur le devant un grand feu, auquel se chauffent plusieurs personnes. (A M. Girardot de Marigny (1), de La Rochelle.)

(1) M. le baron de la Morinerie a bien voulu, le 1ᵉʳ mai 1859, nous écrire les lignes suivantes au sujet de ce célèbre amateur.... « Vous pensiez, d'après M. La- « grange, que cet amateur appartenait à La Rochelle, ou tout au moins, qu'il y « avait possédé la maison où furent découverts en 1857 les panneaux décorés par « notre célèbre peintre de marines. A cette question, je répondrai que M. de Mari- « gny est étranger à La Rochelle. Jean Girardot de Marigny appartenait à une fa- « mille protestante très-ancienne, très-riche et très-considérée, qui, par suite de « son attachement aux principes de la réforme, avait été singulièrement persécutée « à l'époque de la révocation de l'édit de Nantes. Cette famille, originaire de Bour- « gogne, a donné plusieurs conseillers au parlement de Dijon, et autres person- « nages de mérite. Propriétaire des vastes chantiers du quai de la Tournelle, elle a « eu pendant longtemps le monopole de la fourniture des bois pour l'approvision- « nement de Paris. Ses armoiries étaient écartelées aux 1 et 4 d'argent au lion de « sable ; aux 2 et 3 de gueules au chevron d'argent. Fils de Daniel Girardot de Ver- « menoux et de Marie-Marguerite Jallot, M. de Marigny naquit en 1734. Riche de « son patrimoine, il augmenta considérablement sa fortune par le moyen de la « maison de banque et de commerce qu'il avait formée à Paris. Cette opulence, il « la mit tout entière au service de son goût pour les arts. Le goût des belles choses « était d'ailleurs inné dans la famille ; son cousin, le bibliophile Girardot de Pré- « fond, s'est fait une grande réputation avec sa bibliothèque, dont Debure a publié « le catalogue en 1757. Si je voulais fouiller plus avant dans les antécédents de la

5. *Paysage; on y voit une rivière où des blanchisseuses travaillent au coucher du soleil.*

6-7. *Deux vues des cataractes du Rhin.*

8. *Marine avec pêche au clair de lune.*

9. *Vue d'un port de mer sur les côtes d'Italie, au coucher du soleil.*

10. *Lever du soleil, avec brouillard et mer calme, et vaisseau à toutes voiles.*

11. *Incendie d'un port de mer pendant la nuit.*

12. *Mer avec orage.* (A M. Phelippeaux, archevêque de Bourges.)

13. *Marine au coucher du soleil représentant une mer calme.*

14. *Marine avec un vent frais, au lever du soleil, offrant le spectacle de troupes qui défilent sur une chaussée.* (A M. Paupe, marchand de rubans, rue aux Fers.)

15. *Tempête avec vaisseau qui se brise contre les rochers.*

16. *Marine au soleil couchant avec calme et brouillard.* (A M. de Laferté, receveur général des finances.)

17. *Marine agitée avec naufrage d'un bateau.*

18. *Paysage avec des baigneuses.*

19. *Intérieur d'un port de mer.*

20. *Rivage de la mer, orné d'architecture, offrant le spectacle d'une fête napolitaine.*

21. *Mer calme au couchant du soleil; on y voit un rocher percé, au travers duquel brille la lumière.*

22. *Lever de soleil, avec brouillard et mer calme.*

23. *Marine au coucher du soleil.* (A M. Lebrun, peintre.)

24. *Marine au coucher du soleil.*

25-27. *Trois dessins représentant des marines.* (A M. de Thélusson.)

28. *Paysage avec chute d'eau.*

« famille, je montrerais qu'elle puisait tout naturellement en elle-même ses in-
« stincts artistiques. Ne tenait-elle pas par des liens divers à Petitot, à Bordier, à
« Isaac Moilon, peintre du roi et de l'Académie, à Jean Formont, de Vesne, l'ama-
« teur de tableaux ?

« Marigny affectionnait surtout Joseph Vernet, et il doit être cité au nombre
« des amateurs qui lui commandèrent le plus de tableaux. Il lui fit faire la connais-
« sance de Necker, des frères Tronchin, de son cousin le baron d'Erlach, de ses
« neveux les Thélusson, fils du ministre de Genève près la cour de France. Un
« beau jour, il l'emmena en Suisse. On n'était pas plus grand seigneur

« Marigny habitait, à Paris, l'hôtel Colbert, rue Vivienne ; c'est là qu'il mourut
« âgé de 62 ans, le 4 pluviôse an IV (31 février 1796). Il ne s'était pas marié, il eut
« un frère, son aîné, et une sœur. Celle-ci épousa M. de Thélusson. Son frère, ap-
« pelé M. de Vermenoux, s'allia avec Mlle de Larrivé. Mme de Vermenoux fut la
» marraine de Mme de Staël … »

29 *Tempête avec le naufrage d'un vaisseau, et fracas d'eaux qui se brisent contre un rocher.* (A M. Legros.)

50. *Tempête avec vaisseau qui se brise contre les rochers.*

31. *Paysage avec rivière où se voient des blanchisseuses.* (A M. Dufresnoy, notaire.)

52. *Tempête représentant un naufrage, avec chute du tonnerre et grande pluie.*

55. *Mer calme avec lever de soleil.* (A M. de Maury, caissier général de la caisse d'escompte.)

54. *Mer calme, au clair d'une pleine lune;* on y voit un vaisseau à pleines voiles, et sur une espèce de môle, un peu avancé en mer, un feu auquel plusieurs personnes se chauffent.

55. *Paysage au lever du soleil, avec une rivière et des pêcheurs qui ramènent leurs filets.* (A M. Godefroy, commissaire-priseur.)

56. *Mer agitée par un grand orage, avec un petit bâtiment qui vient d'échouer, et dont on sort une femme mourante.*

57. *Mer calme;* on y voit plusieurs navires; sur le devant du tableau, des femmes qui se baignent. (A M. de Maury.)

58. *Tempête avec vaisseau qui fait naufrage;* plusieurs personnes se sauvent à la nage; un grand nombre d'effets et de bois sont flottants.

59. *Une fête donnée à Rome sur le Tibre;* plusieurs petits bateaux, sur lesquels on voit des lutteurs, couvrent la rivière, dont les bords sont remplis de spectateurs. (A M. de Montulé).

40. *Tableau ovale représentant une mer calme;* on y voit un vaisseau à la voile, un pêcheur à la ligne et d'autres figures.

41. *Mer calme avec un vaisseau à l'ancre et des personnages qui pêchent à la ligne.* (A M. le comte de Choiseul-Gouffier.)

42. *Mer agitée par l'orage;* un navire se brise contre les rochers; un autre est prêt à s'enfoncer dans les flots.

45. *Mer calme;* on y voit plusieurs navires de diverses structures et des personnages qui reçoivent des marchandises.

44. *Mer calme;* un navire est à la voile, des matelots poussent un esquif; divers autres personnages.

45. *Mer calme;* un vaisseau à pleines voiles, sur le devant des pêcheurs. (A M. le président Bernard.)

46. *Marine au coucher du soleil.* (A M. le duc de Nivernais.)

47. *Une côte avec ouverture dans la mer, à travers laquelle on voit un clair de lune; brouillard et du feu.* (A M. de Villetaneuse.)

48. *Marine au clair de lune.* (A M. le comte de Cossé.)

49. *Mer extrêmement agitée;* un orage dans le lointain; sur le devant un esquif avec des rameurs; la mer se brise avec fureur contre les rochers, sur lesquels on voit trois personnages qui expriment la terreur. (A M. Cochu, docteur régent de la faculté de médecine.)

50. *Paysage représentant une chute d'eau*; sur le devant, est un petit esquif d'où sortent des pêcheurs. (A M. le comte Baudouin.)

51. *Tempête et mer orageuse.* (A M. Planter.)

52-53. *Deux dessins*, paysages avec figures. (A M. de Joubert, trésorier des États de Languedoc.)

54. Dessin représentant une rivière, des femmes occupées à laver, et un homme qui quitte la pêche. (A M. Coindet.)

55-56. Deux dessins ; on y voit des rivières où l'on pêche à la ligne, et sur lesquelles voguent des navires. (A M^lle Berny.)

Ajoutons que madame Lebrun avait envoyé le portrait du maître qu'elle peignit en 1778, et que le Louvre a acquis en 1817, moyennant 2,400 fr. de M. Aubert.

Les versificateurs du temps ne laissèrent pas échapper une si belle occasion de rimer ; en voici deux échantillons ; c'est d'abord M. Knapen fils, imprimeur du journal du Salon de la Correspondance, qui composa le couplet suivant, sur l'air : *L'avez-vous vu, mon bien-aimé,* et qui le fit imprimer dans le *Journal de la littérature, des sciences et des arts* (tome II, 15 mars 1783) :

> Dieux, quels pinceaux !
> Dans ces tableaux
> Quel éloquent silence !
> Les matelots
> Contre les flots
> Luttent sans espérance.
> La foudre se brise en éclats.
> Le vent a renversé les mâts.
> Ici, Vernet,
> Par un reflet
> Anime la peinture ;
> Mais son beau temps,
> Ses ouragans,
> C'est toujours la nature.

Un M. Pouteau neveu inséra les vers que voici dans le *Journal de Paris* du 22 mars 1783 :

> Quel prodige nouveau ! quoi ! le sublime Apelle
> Épuisa son génie à former sa Vénus ;
> Il eut pour rival Praxitèle,
> Et Zeuxis eut Parrhasius ;
> Mais sans tracer de Vénus la ceinture,
> Vernet offre à nos yeux mille charmes divers :
> Pour modèle il a l'univers,
> Et son rival est la nature !

Enfin, voici comment le graveur Delafosse s'exprimait le 27 mars 1785, dans les *Nouvelles de la république des lettres et des arts*, au sujet de cette exhibition : « Le spectacle, unique peut-être à jamais, que *le chef-lieu de la* « *Correspondance* procure aux amateurs des arts, est une époque qui « sera longtemps gravée dans leur mémoire. L'histoire de la peinture va « déposer dans ses fastes cet événement bien précieux pour la considé- « ration qui lui est due. Depuis le jour de douleur, où il fut ordonné « dans Rome, que le superbe tableau de la *Transfiguration*, peint par le « divin Raphaël, serait exposé au public pour exciter et faire plus « vivement sentir la perte qu'on venait de faire de ce grand homme, « il n'est rien qui puisse être comparé à cette exposition, ou contraster « plus agréablement avec elle, que le spectacle dont vous nous faites « jouir. Quelle douce satisfaction doit avoir M. Vernet ! (Car c'est là « sûrement le sentiment de son cœur). Il recueille paisiblement, sans « rivaux et sans envie, l'hommage que l'on rend à la supériorité ainsi « qu'à la fécondité de son talent et de son génie. Il procure au posses- « seur de ses chefs-d'œuvre une occasion de munificence dont nous « sentons tout le prix, et nous fait jouir délicieusement de notre amour « pour l'art charmant qu'il honore. Puisse-t-il, pour récompense des « jouissances qu'il nous donne, recevoir encore de la nature, aussi « longtemps qu'il sera son premier peintre, toutes les faveurs qu'il « pourra lui accorder ! »

### 1786

*Deux vues d'Italie* faites à Rome, pour feu M. le cardinal de la Rochefoucault (du cabinet du duc de la Rochefoucault). — *Une tempête.* (Cabinet de M. Bazan.)

216. VERNET (*Joseph*), sculpteur d'ornements, et maître de l'Académie de Saint-Luc en 1770, neveu du précédent, était fils de François Vernet, peintre médiocre de fleurs et de paysages ; le peintre de marines, dans son journal, parle souvent de son neveu, qui ne manquait pas de lui rendre visite chaque année au premier janvier ; c'est à peu près tout ce que nous avons pu recueillir sur ce personnage ; toutefois, comme tout ce qui touche au nom illustre des *Vernet* doit avoir de l'intérêt, nous n'hési- tons pas à publier l'acte ci-après, que nous avons relevé sur les registres de l'état civil de la paroisse Saint-Sul- pice, en recherchant le décès de l'artiste qui nous occupe, mais que nous n'avons pu trouver : « Le 7 dé-

« cembre 1784, a été fait le convoy et enterrement
« au cimetière, de S$^r$ Louis-François-Xavier Vernet,
« maître sculpteur, époux de Rose Marie Boucher,
« décédé la nuit précédente rue des Fossoyeurs, âgé
« d'environ quarante ans. Témoins, sieur Honoré Guibert,
« maître sculpteur, oncle du défunt, sieur Jean-Honoré-
« Marie Guibert, peintre, son cousin, et autres qui ont
« signé : Vincent, prêtre. »

SALON DE LA CORRESPONDANCE. 1781.

*Buste de M. de Fontenelle.* — *Buste de M. de Saint Ange.* — *Buste de
M. Wille, fils, peintre du Roi.*

217. VESTIER (*Antoine*), peintre de portraits, né à Avallon
(Yonne), agréé de l'Académie le 30 avril 1785, sur divers
portraits, notamment celui de sa fille, grand comme
nature, reçu académicien le 30 septembre 1786, sur le
portrait de *Pierre* [à l'école des beaux-arts]. Il a exposé
en 1785, 1787, 1789, 1791, 1795, 1796, 1798, 1801,
1804 et 1806, il a été gravé par : Levillain, Ingouf
et de Longueil.

SALON DE LA CORRESPONDANCE. 1782.

*Jeune personne dans l'attitude de l'indolence* (étude en grand). *Portrait
d'homme* (pastel).

1783.

*Portrait de M. D'Outremont*, avocat au parlement, dans son cabinet,
vu à mi-jambe.— *Jeune fille attachant son fichu.* (Genre éludorique.)

VIGÉE (*Louise-Élisabeth*). Voyez LEBRUN (Madame).

218. VINCENT (*François-André*), peintre, était fils de Vincent
(François-Elie), professeur à l'Académie de St-Luc, peintre de Mesdames, mort à Paris le 28 mars 1790, âgé
de 83 ans (paroisse St-Roch). Vincent (F.-A.) naquit à
Paris le 30 décembre 1746 et mourut dans la même
ville le 3 août 1816; il remporta, quoique protestant, le
grand prix en 1768; le sujet était : *Germanicus haran-
guant ses troupes.* Il fut agréé à l'Académie le 31 mai 1777,
sur un *St-Jérôme*, et reçu académicien le 27 avril 1782,

sur *l'Enlèvement d'Orithye par Borée* (au Louvre); il fut
fait adjoint à professeur le 24 septembre 1785 et professeur le 31 mars 1792. Il fut plus tard membre de l'Institut et
chevalier de la Légion d'honneur. Il a pris part aux salons de
1777, 1779, 1781, 1783, 1785, 1787, 1789, 1791, 1795,
1798 et 1801. M<sup>lle</sup> Capet a exposé son portrait en
1798, et il a été gravé par Frémy. Vincent a fourni les
articles *Peinture* au Dictionnaire des beaux-arts; on voit
de ses œuvres aux Musées du Louvre, de Versailles,
d'Orléans, de Caen, de Toulouse, de Rouen, de Montpellier, au palais de Fontainebleau.

Il a été gravé par Bouillard, C. Normand, Lebas, Copia
et Ph. L. Parizeau.

Vincent a gravé deux pièces à l'eau-forte qui ont été décrites
par M. P. de Baudicour (tome I.)

SALON DE LA CORRESPONDANCE. 1782.

*Mathieu Molé en imposant aux factieux* (dessin, du cabinet de M. le comte
de Cossé).

Le tableau pour lequel avait servi ce dessin fut exposé au salon de
1779.

VINCENT (*Madame*), épouse GUYARD, en premières noces, née *Adélaïde* LABILLE DES VERTUS, naquit à Paris en 1749 et y
mourut le 4 floréal an XI (8 avril 1803). Elle reçut
les leçons de Vincent (François-Elie), et de Delatour; elle était membre de l'Académie de Saint-Luc, et
y exposa en 1774; elle était aussi premier peintre de
Mesdames et de Monsieur et fut reçue à l'Académie
royale le 31 mai 1783 sur le portrait de Pajou (au Musée du Louvre, dessins) ; le 30 juillet 1785, elle présenta le portrait d'Amédée Van Loo. Elle a figuré aux
salons de 1783, 1785, 1787, 1789, 1791, 1795,
1798, 1799 et 1800. Son portrait, par elle-même, fut
exposé en 1785 et 1786; ce dernier a été gravé à l'eau-
forte, par C. Hoin. M<sup>lle</sup> Capet, son élève, a aussi fait son
portrait, qui fut exposé en 1798 et 1808. Enfin Madame
Vincent s'est représentée dans une grande toile, entou-

rée de ses élèves M^iles Rosemont et Capet (au Musée de
Versailles).

SALON DE LA CORRESPONDANCE. 1782.

*Portrait, grandeur nature, de M. le comte de Clermont-Tonnerre*, vu à
mi-corps, le casque sur la tête, la main appuyée sur la garde de son
épée (pastel). — *Son portrait au pastel.* — *Portrait de M. Vincent, peintre
du roi*, peint au pastel, pour M. Suvée, peintre du roi. — *Portrait de
M. Voiriot*, peintre du roi. — *Cléopâtre*, vue à mi-corps, grandeur naturelle, au pastel. — *Portrait de M. Bachelier*, peintre du roi, pastel.

1783.

*Portrait de M. Vien* (pastel), a été gravé par S. C. Miger. — Grand tableau représentant *un homme de grandeur de nature, vu dans son cabinet
près d'un bureau sur lequel il est appuyé, tenant un livre ouvert* (pastel).
— *Portrait de M. Pajou*, sculpteur, en veste, un bras nu, modelant le
buste de M. Lemoine, son maître (au Louvre).—*Portrait de M. de Beaufort*, peintre du roi.

220. VINCENT DE MONTPETIT (*Armand*), né à Mâcon le 31 décembre 1713 et mort à Paris le 10 floréal an VIII (30
avril 1800), a été à la fois mécanicien, écrivain et peintre;
il faisait partie de l'Académie de St-Luc et y exposa en
1774, ainsi qu'au Colisée en 1776; il inventa en 1759
un procédé nouveau de peinture qu'il appelait *genre éludorique*, auquel le Dictionnaire des arts et métiers a
consacré une description. « Le secret de cette peinture
« consiste à n'employer que l'huile absolument néces-
« saire pour attacher la couleur, à exclure toutes espèces
« de vernis et à y suppléer par un cristal que l'inven-
« teur rend adhérent à ses tableaux par le moyen d'un
« très léger mordant passé à certain degré de chaleur.
« Sa manière consiste à peindre à travers l'eau à fin
« d'avoir sous les yeux l'effet que doit produire le bril-
« lant du cristal et de travailler en conséquence. » Ce
système dut avoir une certaine vogue, puisque nous apprenons par le Mercure de France (octobre 1770, I^er vol.,
p. 172 et s.) que Vincent de Montpetit eut l'honneur de
présenter au roi et à toute la famille royale, le 20 septembre 1770, un tableau allégorique, peint dans le

genre éludorique, représentant Madame la Dauphine
peinte dans une rose. « Cette fleur, dit le rédacteur du
« Mercure — est accompagnée d'un lis et forme un bou-
« quet agréablement nuancé d'immortelles et de feuilles
« de rosiers, sortant d'un vase de lapis enrichi d'orne-
« ments en or avec différents attributs relatifs à l'alliance
« des augustes maisons de France et d'Autriche. Au
« dessus du cercle supérieur qui orne le vase, est placée
« la couronne du destin, d'où part de droite et de gau-
« che une chaîne de fleurs de lis qui va se joindre à un
« coq et un aigle qui la tiennent, en se jouant, à leur
« bec, et forment les anses du vase. Ces deux oiseaux
« sont portés sur des cornes d'abondance soutenues par
« le cercle inférieur. Il est écrit sur la couronne du des-
« tin : *Sic fata voluere.* Dans le milieu du vase sont
« deux cœurs accolés, formant un soleil rayonnant avec
« cette légende : *ils sont unis pour notre bonheur.* Ce
« tableau valut à l'artiste... l'admiration de toute la
« cour. »

MADAME DE MONTPETIT, peintre elle-même, et que nous
voyons figurer au Salon de 1793, inventa en outre un
procédé pour restaurer les tableaux, auquel l'Académie
royale des sciences donna son approbation : « L'auteur
« se sert d'une espèce de vernis pour coller les tableaux à
« restaurer, aux glaces qui doivent les conserver. Aucune
« des matières dont le mordant est composé n'est capa-
« ble d'occasionner, *même à la longue,* la moindre alté-
« ration aux couleurs des tableaux. » C'est ainsi qu'on
vit au *Salon de la Correspondance,* en 1781, un portrait de H. Rigaud, peint par lui-même, un portrait de
Louis XIV, et une marine de Delacroix (voyez ce nom
plus haut), restaurés par ce procédé et *fixés à la grâce.*
La fille de Vincent de Montpetit (née de son second mariage en 1774) a fait elle-même des portraits très-res-
semblants et d'une bonne touche ; elle avait épousé, en
1795, Jean-Philibert Dupuis, chirurgien de vaisseau,

natif de la ville de Bourg, qui devint ensuite capitaine
de frégate et mourut peu après son mariage. — Lalande
a consacré à Vincent de Montpetit une notice intéressante dans le Magasin encyclopédique de Millin, 6ᵉ année,
tome I, 1800, p. 259-261. — Montpetit a fourni des
articles au Dictionnaire des beaux-arts de Joubert et a
écrit une brochure curieuse sous ce titre : Note intéressante sur les moyens de conserver les portraits peints à
l'huile et de les faire passer à la postérité, suivie de
l'approbation de l'Académie royale des sciences.— (Paris)
(1775), in-8°.

### SALON DE LA CORRESPONDANCE. 1779.

Tableau de *fleurs allégoriques sur l'heureux accouchement de la reine de
France* (genre éludorique). — *Portrait de Louis XV* (H. 21 po. L. 16 po.
genre éludorique). — *Femme de ménage caressant son chat* (genre éludorique). — *Modèle d'un pont de fer sans piles* (présenté à l'Académie des
sciences, le 29 juin 1779). — *Portrait de femme avec le costume de vestale*
(H. 2 pi. L. 19 po. 1/2.) G. él. — *Portait d'une vieille dame.* (H. 21 po.
L. 16 po.) G. él.

### 1781.

Portrait de M. le Prince de Montbarey. (H. 2 pi. 2 po. L. 1 pi. 9 po.)
G. él. — Portrait de M. P... (G. él.) (H. 2 pi. L. 1 pi. 8 po. ovale.) —
divers portraits en miniature et celui de Madame *** (G. él.) — tableau
représentant *la Naissance de la peinture éludorique* en 1752. L'auteur, au
milieu de sa famille, est représenté faisant le portrait de son épouse dans
le costume bressan.

### 1782.

*Couronnement d'une rosière de Salency dans sa toilette de circonstance,*
d'après nature (pastel). Il s'agit de Marguerite Le Peyre, âgée de 25 ans,
la première qui ait reçu le prix de la rose après l'arrêt du parlement de
1775 qui a maintenu cette institution dans ses anciens priviléges;
Mˡˡᵉ Peyre fut couronnée à Salency, le même jour que le roi fut sacré à
Reims. — Petit tableau représentant *une Française qui conduit une Anglaise
dans un bosquet où est un buste de Louis XV, qu'elles ornent de fleurs.* Il
s'agit de Madame de Pompadour, qui est la Française ; le roi lui avait fait
présent de cette toile, faite au sujet de la paix de 1763, et qu'il avait
achetée à la vente des tableaux de son frère. (G. él.)

### 1783.

*Projet d'un pont de fer d'une seule arche, proposé de 400 pieds d'ouver-*

*ture, pour être jeté sur une grande rivière*, orné d'un pyromètre qui indique les degrés de dilatation et de contraction du fer, ainsi que la température de l'air (présenté au roi, le 5 mai 1785); il publia la même année une brochure in-4° de 25 pages à ce sujet.

### 1786.

Tableau représentant l'intérieur d'un appartement où un peintre, entouré de sa famille, fait un portrait à la manière éludorique.

221.   Voiriot (*Guillaume*), peintre; membre de l'Académie de Saint-Luc, à l'exposition de laquelle il figura en 1752 et 1753; reçu membre de l'Académie royale de peinture, le 28 juillet 1759, sur les portraits de Pierre et Natier (École des beaux-arts); nommé conseiller le 3 septembre 1785; son portrait, peint par Mᵐᵉ Guyard, née Labille des Vertus, figura au Salon de 1785; lui-même a exposé au Louvre en 1759, 1761, 1763, 1767, 1771, 1789 et 1791. — Il a été gravé par Landon et P.-G. Langlois.

SALON DE LA CORRESPONDANCE. 1782.

*Portrait de M. Aublet*, jouant de la guitare, vu jusqu'aux genoux (à l'huile). — *Portrait du père Jacquier*, minime à la Trinité du Mont à Rome, représenté s'occupant de démonstrations géométriques. (Cabinet de M. Hazon, intendant des bâtiments du roi.)

222.   Voison.

### 1785.

Deux sujets de nature morte. (Du cabinet de M. Girardot de Marigny.)

223.   Volaire (*Jacques-Antoine*, ou *Pierre-Jacques*, chevalier), né à Toulon ou à Nantes, mort à Naples au commencement du xixᵉ siècle, était élève de Joseph Vernet; on peut l'appeler peintre d'éruptions du Vésuve, car c'est ce qu'il a le plus souvent retracé; il était membre de l'Académie de Saint-Luc de Rome; il a été gravé par C. Guttenberg, Hauer et P. Duflos; Denon a gravé son portrait à l'eau-forte, et l'a signé : D. N. On voit de ses œuvres aux Musées de Nantes, Toulouse, Rouen et Narbonne.

### 1779.

*Éruption du Vésure en* 1771. (H. 3 pi., L. 5 pi.; gravé dans le Voyage pittoresque d'Italie. Du cabinet de M. le comte d'Orsay.)

### 1785.

Un grand tableau représentant *l'éruption du Vésure avec vue d'un grand concours de spectateurs, de la mer, et avec clair de lune.* (Du cabinet de M. de Thélusson, capitaine de dragons.)

### 1786.

*Deux rues des environs de Naples;* la première représente *Bayes et son fort;* la seconde *les temples de Vénus et de Mercure.* (Du cabinet de M. le comte d'Orsay.)

224. WILLE (*Pierre-Alexandre*), peintre, fils du célèbre graveur Jean-Georges Wille, naquit à Paris le 19 juillet 1748 (paroisse Saint-André des Arts); il eut pour parrain M. P. Joly, l'un des douze marchands de vin du roi, et pour marraine Anne Aubert, épouse du peintre Charles Eisen; le 4 juillet 1775, il épousa Claude-Paule Abau (paroisse Saint-André des Arts), qui devait plus tard, à la suite d'une maladie de douze années et de cruels chagrins, perdre la tête et aller mourir à la *maison royale de Charenton;* c'est ce que nous apprenons par une supplique que notre artiste, alors âgé de 73 ans, adressait le 9 janvier 1821 à la duchesse d'Angoulême, pour obtenir d'elle un secours afin de payer la pension de sa femme à l'hôpital des fous! Nous avons fait de vaines recherches aux archives de l'hôtel de ville de Paris pour retrouver le décès de ce pauvre Wille. Où! a-t-il terminé ses jours, c'est ce que nous ne saurions dire; dans la misère à coup sûr, peut-être dans quelque hôpital! Quand on lit les mémoires et le journal de son père, ouvrage très-curieux pour tout ce qui touche au monde artiste durant le XVIIIe siècle, et dont M. Georges Duplessis nous a donné une excellente édition, pas assez connue et pas assez consultée (Paris, Renouard, 1857, 2 vol. in-8º), on a le cœur serré quand on voit que soixante-dix années de labeur, œuvre du père et du fils, furent englouties et anéanties dans la tourbe révolutionnaire. — P.-A. Wille fut agréé à l'Académie le 23 juin

1774; laissons parler son père. « Ce jour étoit un jour
« d'inquiétude pour nous, mais qui se termina en joye
« et satisfaction : notre fils aîné, ayant présenté ses ou-
« vrages à l'assemblée de l'Académie royale, y fut agréé
« avec un applaudissement presque universel. » Wille
fils, toutefois, n'est pas devenu académicien. Il a exposé
en 1775, 1777, 1779, 1781, 1783, 1785, 1787,
et ....... en 1819; il envoya une aquarelle. Pendant que
nous nous occupons de la famille Wille, disons que
Wille fils a dessiné le portrait de son père (1774), le
portrait de sa mère, Marie-Louise Deforge (1774), aujourd'hui dans le cabinet de M. Soret, et qui a paru à
l'exposition du boulevard des Italiens; son propre portrait (1773), possédé par M. Georges Duplessis; de Peters (voyez ce nom), a peint le portrait de Mᵐᵉ Wille, née
Abau, et Vernet le sculpteur (voyez ce nom), neveu du
peintre, exécuta le buste de Wille, P.-A.

SALON DE LA CORRESPONDANCE. 1779.

*Une femme assise sur un sopha et vêtue en satin, tenant dans sa main un*
*portrait auquel elle envoie un baiser.* (H. 30 po. L. 24 po.)

1783.

*La double récompense.* Un officier général annonce à un jeune officier
de dragons, dont il a connu la bravoure et la vertu, la récompense de
l'une et de l'autre, en lui montrant d'une main la croix de Saint-Louis,
de l'autre sa fille qu'il lui donne en mariage; ce tableau avait déjà paru
au Louvre au salon de 1781.

225. XAVERY D'IANSOUS (*Jacob*), peintre à la Croix Blanche, à
Passy; d'après Nagler, il naquit à la Haye en 1736, était
fils du sculpteur J.-B. Xavery, et reçut les leçons de
Wit; il aurait reçu, plus tard, celles de Van Huysum,
dont il chercha à imiter la manière. Nous pensons,
toutefois, après examen, que c'est à tort que l'auteur
précité a dit que Houbraken avait gravé le portrait de
Xavery.

SALON DE LA CORRESPONDANCE. 1779.

Tableau à l'huile représentant *des raisins, des pêches, des prunes.*
(H. 14 po. L. 10 po.) — *Fruits avec animaux tels que lézard et autres.*
(H. 16 po. L. 12 po 1/2.)

FIN

Imprimé en France
FROC021253010720
24394FR00013B/266